天下雜誌
觀念領先

Be Yourself

自分らしく輝いて人生を変える教科書

我要的新人生

川原卓巳 著　李貞慧 譯

作者給台灣讀者的話

「捨棄做自己的念頭，練習成為自己」，這是我想送給台灣讀者的話，也是我和麻理惠嶄新人生的轉捩點。「做自己」和「成為自己」有什麼不同？最大的差別在於比起前者，後者更強調「放下過度的自我期許，用自己最舒適的狀態，邁向嶄新的人生」。

受疫情衝擊後，許多人的生活發生前所未有的變化，面對回不去的過去，不少人下定決心積極求變。但實際上，我們都已經負擔太多，比起努力向外追求更多，不如重新整理你的人生，留下你真正需要的能力與裝備，走向輕盈且豐盈的新人生。

現在，想邀請你與我們一起，收拾向外追尋的過度努力，練習聆聽發自內心的聲音。覺察哪些事讓你打從內心喜悅，哪些行動會讓你有「怦然心動的感覺」？這都可能是你踏上成為自我之路的契機。

別輕忽你的感覺，這些都是個人特質與行動契合才會產生的正向化學反應，練習遵循感覺的指引，找到人生自在發光的最短路徑。

川原卓巳

二〇二一年十一月

推薦序一

機會來了，你有餘力接住嗎？

暢銷作家、爆文學院創辦人　歐陽立中

這本書對我而言，來得正是時候。

就在今年我辭去任教十年的高中教職，很多人覺得不可思議。一來，正式教職很難考。二來，教職是人人稱羨鐵飯碗。更何況，我還榮獲 Super 教師獎，在教育圈也累積了小小成就。怎敢說放下就放下，那我擁有的一切，不就什麼都沒有了嗎？

我能理解大家的惋惜，當然，我辭職並非出於衝動，事前也對未來沙盤推演過。但真正辭職後，面對下個月帳戶收入不再穩定的事實，心中竟掀起了陣陣波瀾：我辭職真的對嗎？萬一接不到案子怎辦？家裡開銷負擔得起嗎？

直到讀了《我要的新人生》，我的心才又漸漸恢復平靜，眼神沉著鎮定。因為我們曾面對的職涯抉擇，麻理惠夫妻全經歷過。並分享他們如何用「怦然心動的人生整理術」，幫我們重新整理雜亂的心房。

這本書是由麻理惠先生川原執筆，或許你對他比較陌生，但他正是幫助麻理惠發光的男人。他最初在人力管理公司上班，認識麻理惠後決定辭職，跟麻理惠一起創業。如果麻理惠是光，那麼他就是影。後來，他們做了更大膽的決定，放下日本事業勇闖美國，憑一股勇氣，夾雜一絲不確定性。最後，Netflix 找上他們合作，拍攝《怦然心動的人生整理魔法》（*Tidying Up with Marie Kondo*）的實境節目，而川原成為節目製作人。夫妻兩人同心協力，讓整理術享譽國際。

愈拚的人反而選擇愈少？

對我而言，這本書就是在幫助你把人生「化繁為簡」。人生很弔詭，有時候愈拚的人可能愈沒選擇，因為他把時間全填滿了。但麻理惠站上更大舞台的關鍵卻是因為「減少四成的工作量」。為什麼？因為工作減少了，生活才有留白空間，而當適合的機會找上門時，你才能機動地移動。如果當時麻理惠來者不拒，累垮自己，反而就會錯過 Netflix 合作的大好機會。

另外，「保持真實」也是化繁為簡的重要思維。麻理惠之所以風靡全球，就在於她真實，不在乎外界眼光。例如她在開始整理前，會身體坐直，向房屋鞠躬。許多人不解，以為是節目效果。但那其實是麻理惠發自內心對環境感恩的下意識動作。很多時候，我們總是為別人在努力，佯裝成別人喜歡的樣子，但反而掩蓋了自己真實的光芒。

你滿意現在的人生嗎？如果你遲疑了，那麼翻開這本書吧！其中不一定有你想要的人生答案，但一定有你沒想過的人生洞察。豐盛機會，往往就在這些洞察中，只待我們敞開心去接住它。

推薦序二

自在做喜歡做的事，才能有真正富足的成功

女人進階版主　張怡婷（Eva）

當初訂閱 Netflix 後，我收看的第一個影集就是《怦然心動的人生整理魔法》。麻理惠帶著案主用慎重的態度重新審視居住空間，也同時檢視自己的人生，不只對生活物品進行斷捨離，也同時對身心靈做徹底的大掃除。

我喜歡看著那些案主丟掉那一袋袋的垃圾，宛如丟掉一個個的人生重擔，不論那代表著遮掩著卑微自我的防衛，還是曾經放不下過世家人的不捨。重現清爽的居家空間，也可以再度邁開輕鬆的腳步走向新未來。

我常說「那些搞不定婚姻甚至人生的人，主因就只是搞不定自己」。只要誠懇地了解自己，展現出你最舒服的樣貌，那麼人生各個面向就會順遂了起來。影

集中那些個案就是如此，他們從麻理惠身上學會的不是清潔收納的技巧，而是「如何讓人生留下剛剛好的東西，讓自己的生活豐盈且幸福」的訣竅，而這法則應用在人生梳理上，也是十分高效實用的。

本書每章節的金句都讓我大愛，像是「人最難放棄的不是金錢、權力、名聲，而是自己過去的努力。」、「對自己過度的要求不會為自己增添動力，反而是一種自我傷害。」這些句子就像整理心靈的打掃工具，準確的掃除了蒙蔽心眼的障礙物，讓你成為怦然心動的自己。

懂得不做什麼，反而逐步接近更好的自己

曾經我也是那種整天對自己喊話「一定可以更好！」、「有什麼還沒做要趕快做的呢？」逼迫自己進步再進步的瘋狂份子，看我二十幾歲就建立「女人進階To be a better me」粉絲頁就可想而知。在收入逐漸提高、開課出書、生養兩個小

孩、三十五歲成為新創公司業務副總，達到旁人眼中的成就的過程中，我逐漸體悟到：「自在做喜歡做的事，才能有真正富足的成功」，以及「不做什麼，比做什麼還更重要」。

我發現與其成就個人功勳，我更喜歡幫助團隊成員發揮潛能，更熱衷於協助客戶創造價值。我發現與其把行程排得滿到喘不過氣，不如早晚靜坐半小時，聆聽內心的聲音。我開始學會作者說的，「不要害怕耍廢，耍廢到極致時，你就會跳起來手刀去做最該完成的事」。我懂得本書建議的，停止對自己與別人說「你可以再更努力」，改為「你已經很棒了」。

其實，這樣就足以成為更好的自己了。

推薦序三

學會感覺擇事，就能避免感情用事

諮商心理師／《活出你的原廠設定》作者　蘇予昕

閱讀這本書時，我剛好解鎖人生重大成就：終於擁有屬於自己的心理諮商所。然而，第一次當老闆內心的焦慮遠大於喜悅，一間公司的獲利、員工薪資和諮商品質成了肩膀上沉重的負擔，與過去「一人飽全家飽」的行動心理師階段截然不同，因此我陷入了一陣「抓緊期」。

無論工作內容喜不喜歡，只要有時間我就會照單全收，盡可能把行程排好排滿，我無時無刻都能聽到來自大腦的恐懼警告：「如果不抓緊就要錯過了，你現在沒資格選。」但過了一段時日，無論身體還是情緒都亮起紅燈，各種發炎、疼痛的頻率愈來愈高，我知道，繼續這樣「抓緊」絕對會出問題。

深入探索後，那些我以為早就清理完畢的舊信念，因為職涯的轉變又跑了出來，包含「一分耕耘，一分收穫」、「吃得苦中苦，方為人上人」等，這些壓抑我們本性的限制型信念，不但無法使我們真正豐盛，還會讓我們在邁向成功的路上，遺失了自己。

隨時帶著敞開的意識，和自己在一起

因此，讀這本書時，我很能體會麻理惠將發展重心移到歐美時的那種緊抓感。因《怦然心動的人生整理魔法》而爆紅全球的近藤麻理惠，蜂擁而至的邀約和演講，讓她每一天都在不同城市醒來，從一開始為成就開心的滿足，到後來變成麻木和過勞；直到她的先生、也是本書作者川原卓巳某夜在飯店醒來，看見麻理惠幾近憂鬱地靠在窗沿，喪失過往堅定而明亮的眼神，他們夫婦才意識到嚴重性，經過深聊後兩人決定，從今往後只接令自己「怦然心動」的工作。

這「感覺擇事」的篩選法，讓他們瞬間減少了四〇%的工作量，卻因內心能量提升而讓影響力更加無遠弗屆，連最擔憂的收入都不減反增；作者因此得到一個體悟，也想以此勉勵大家：「真正讓你發光的不是磨練，也不是抗壓性，而是敢於放手」，我認為，那是因為有意識地放手，恰恰就是在讓真我發聲，而與真我共鳴的人事物，也才有進入我們人生的空間。

與其說「做自己」不如說我們都需要「成為自己」，因為「自己」並非一個固定不變的概念，而是一個每分每秒都在演變的有機體，需要我們帶著覺察、好奇和耐心，時時關注自己，此刻我對這件事怦然心動嗎？那下一刻呢？帶著開放敞開的意識，和自己在一起。

大腦的分析邏輯功能，就像一台好開的車，可以幫助我們去到更遠的地方，但我們的心，才是真正的駕駛者，決定著令你怦然的方向；從今天起，邀請你和我一同展開這場「隨心所欲」的生命實驗吧！

推薦序四

他人再好的建議，都長不成你要的未來

諮商心理師　張宇傑

身為一名行動心理師，我很常穿梭在臺灣各地演講分享，講題也是五花八門，從愛情、親情、友情到學習、工作、人生。然而，一開始踏上這條路，並沒有這麼容易，正確來說，我根本怕死了，自由工作者聽起來很風光，實際上是有工作才有飯吃，沒案子就吃自己。

容易焦慮的我，在踏上這條路之前，跟許多業界前輩求助過，到底要怎樣才能成為一個好的講師？前輩們熱情分享自己的秘笈寶典，我像個認真的學生，努力吸收學習，期待自己大展身手。而當我初次站上演講台時，簡單來說，大概就「慘不忍睹」四個大字吧！我才驚覺，我太想變成眼前這些成功的前輩了，而直接搬運過來的心法，根本不適合我！

最有感染力的自己，就是最真實的你

我開始認真去思考，到底我是誰？我擁有什麼？後來我發現，原來我是一個擅長說故事的人，而這世界上有什麼故事是我最熟悉的呢？我自己的故事。

在一次自殺防治研習中，我不再拚命講述學理上應該如何做，而是說起自己曾經為情所困，自殺未遂的故事。

最痛的一次我站在學校教學樓六樓，當時我有一段非常糾結煎熬的跨國戀，彼此的需求拉扯、言語暴力、情緒勒索、精神折磨……「好累……如果我這麼不值得被愛，乾脆跳下去，死了會不會簡單一點？」窒息與空虛侵吞著我，眼前一片黑暗，也聽不見一絲希望。「真的好孤單啊……有沒有人能懂呢……」我想著。

所幸，在我跳下去前我拿起手機，打給了大學時最要好的朋友。「你能陪我聊一聊嗎？」我邊哭邊說自己正要跳樓。

「我想你現在一定非常痛苦，也好捨不得你……但我也好抱歉，沒辦法讓你立刻不會痛，然而我想讓你知道，我真的很在乎你，如果你真的跳下去，我會很難過。」朋友溫柔而堅定地說著。

「當時這段話救回了即將結束生命的我，讓我感覺到自己原來還可以有個出口，那一刻我最需要的就是被好好聽著，好好接著」。我與聽眾分享著自己真實的痛，聽眾與我彼此眼裡映照著淚光。

就像麻理惠夫婦在書中提到的：「做自己和成為自己」有什麼不同？比起前者，後者更強調放下過度的自我期許，用自己最舒適的狀態，邁向嶄新的人生。愈真實，愈有影響力，你只是你的時候，最有魅力。」

親愛的，願書中的人生整理五步驟，伴著你自在發光。你的真實，就是你身上最強大的魔法。

CHAPTER 1

找尋特質

人生的成功與幸福，必然與個人特質呼應

CHAPTER 2

活出自我

在垃圾場裡，鑽石也難彰顯價值

CHAPTER 3

肯定自我

別人給予再多讚揚，也比不上對自己說：「你已經夠好了。」

CHAPTER 4

營造環境

為自己的才能，找到最適合的土壤

CHAPTER 5

持續成長

接受當下的感受，真實的你就是最好的你

寫於書前

寫這本書想傳達的理念只有一句話：「Be Yourself」，直譯為「做自己」。這句話聽起來再理所當然不過，但實踐起來卻比想像中困難許多。你是否也發現，喜歡、認同現在的自己變得很困難？如果你也這樣覺得，別擔心，你不孤單。你可以問問認識的人或周遭的親友相同的問題，有多少人可以毫不猶豫地說：「我很滿意現在的自己。」打從心底為自己感到驕傲。

為什麼成為自己這麼理所當然的一件事，對多數人來說卻很難做到。如果你靜下來好好觀察自己的行動，你會發現我們總是在為別人而努力，大部分的努力都是為了不辜負某人的期望，成為他人眼中「過得還不錯」的樣子。換言之，我們努力的目標看似為了自己，其實再深入探討，可能有一半以上是為了滿足他人眼中的成功樣本，而不得不這麼做。

你也可以回想一下，自己有多久沒有好好想一想，自己正在為什麼而努力？你採取的行動與內在追求是否一致。

如果你也不太滿意現在的狀態，意識到自己成長停滯卻不知道如何調整，可能是你需要重新了解「做自己」的意思。「Be Yourself」比起做自己，更貼切的翻譯應該是「成為自己」，這不應該是一種需要努力才能達到的境界，反而是「不費力」、放下人生過度的追求、來自外界的認同或期待，才能更接近原始的自己。在這個過程中我們需要建立一個認知，你就是你而已，能自信、自在地展現自我，就是最好的自己。

讓鑽石更顯價值的地方不在垃圾場

人是群居動物，從小到大我們經常聽到如與人為善、團結力量大、人人為我，我為人人等，希望能縮小個人意識以創造最大的群體價值。在這樣的框架下，大部分的人很容易過度在意他人的評價，甚至因此迷失自我，或努力維持與大家相同的步伐，避免成為「異類」，整個社會彷彿都在鼓勵大家隱藏個人特色，不斷複製他人的人生。

為什麼會形成這樣的價值觀，因為當時世界經濟成長仰賴大規模生產，需要大家遵循統一的模式和規則，來達到大量生產的目標。可以說，當時的社會風氣鼓勵大家在已建構好的框架內，盡可能遵循標準行事，在有限的世界裡追求理想的自我。

不過，現在的價值觀已經截然不同了。隨著科技進步，人們的生活環境已經進入全新的世代，價值觀也隨之變化，從單一逐步發展出更多元化的價值觀，比起要求統一，現在的社會更鼓勵大家展現個人特色、表現出最獨特的一面。

加上網路發達，我們有愈來愈多的管道可以展現自我或認識新朋友，也有愈來愈多需要向他人介紹自己的機會。可以說我們活在一個無限的世界，你可以選擇你想住在哪、過什麼樣的生活、沒有所屬公司也能養活自己。也就是說，這是個愈來愈不需要委屈求全的世界，不需要再用「不合理的磨練是訓練」、「蹲低才能跳更高」這類的話鼓勵自己忍耐。

畢竟，讓鑽石更顯價值的地方絕對不是在垃圾場。如果你覺得現在的環境讓你很痛苦、工作讓你窒息，你完全可以離開它。無論你承擔著什麼樣的責任、有什麼樣的追求，就算放棄現在走的路，也不代表你就無法達成那個目標，一定要相信自己，你是自由的。

五步驟清除雜質，找回人生的怦然心動

這就是「Be Yourself」的核心價值，現在已經是個沒有框架的世界，不要為了把自己塞進特定的框架裡委屈自己、把吃苦當吃補，我想告訴大家：「不合理的環境不會帶給你磨練，只會耗盡你的力氣，別放任自己待在一個環境，去找到真正能讓你發光的地方吧。」

第一次聽到這樣的建議，我想大家一定會感到很無措，「真的可以什麼都不管嗎？」「真的可以任性地說走就走嗎？」這本書提到的五步驟，就是要告訴你如何能毫不猶豫、自信且優雅地前往讓你發光的地方，運用你的獨特魅力發揮影響力。這裡的地方不是單指工作上，也可能是生活中自學的團體、讀書會，甚至是社區管委會，任何群體只要與你的特質相符，都能成為為你量身打造的舞台。現在，我想邀請你一起掙脫從小到大來自外界的束縛，甚至你對自己的自我限制，獲得真正的自由與自信。

事實上，我認識不少專業人士，在自己的領域或熱愛的事物上發光發熱，這些人看起來和普通人差不多，甚至會因某些行為被視為怪人，但他們卻能不斷吸引別人接近他們，想更了解他們，甚至支持他們的行動與價值觀，我對這點非常好奇，後來發現他們有個共同的特質，就是「了解自己的特質，並找到一個能好好發揮的領域」。

當然，個人特質不會自然轉變成個人魅力，最重要的關鍵是你必須先找到它、接受它。好消息是，這不需要花費力氣向外尋求，當你深入自己的內心，就算什麼也不做，依然能看到它正在一點一點地散發光芒。在這本書中，我將分享如何找到個人特質，並將其轉會成魅力的方法。

前言

五個步驟，成為怦然心動的自己

可能會有人好奇我是誰，所以不免俗先自我介紹，我是川原卓巳，職業是製作人，現在與我的妻子近藤麻理惠一起住在美國洛杉磯，這也是我的第一本書。我很喜歡現在的工作，因為工作之故我經常能認識在各領域發光發熱的人，以及參與很有意義的活動，我的工作就是負責讓更多人看見他們的魅力，將對社會有益的價值觀盡可能地傳達出去。

我的另一個職銜是 KOMARI 公司的負責人，這是我和麻理惠共同孕育而生的品牌，我們成立這間公司時一起立下一個宏願，就是要「整理整個地球」，於是我們透過麻理惠最擅長的「令人怦然心動的整理術」，幫助許多人從環境到身心靈都徹徹底底地大掃除一番。我們也舉辦一個線上沙龍，幫助人們了解自己的特質，並且找到更適切的展現方式，讓自己的身心靈更完整的合而為一，更自信、自在。

比起站在舞台前，我了解自己更適合從事幕後工作，也對於能為麻理惠打造出一個堅強的後援團隊，幫助她將有益的理念擴散出去感到驕傲。我和麻理惠於公於私都是很契合的夥伴，在互相陪伴的過程中，我發現自己最能從「支持他人」這件事上獲得成就感。

整理不只是收拾，而是清理出不費力的人生

麻理惠和我不一樣，她很早就發現自己的特質並不斷地強化它，她從小就很喜歡收東西、喜歡能保持井然有序的樣子，因此她持續鑽研這件事，例如如何把衣服疊得更整齊、把地掃得更乾淨等，在深入研究的過程，她發現自己追求的

不只是整齊、乾淨而已，而是「如何讓人生留下剛剛好的東西，讓自己的生活豐盈且幸福」。麻理惠在整理物品時的判斷標準也和一般人不同，面對每一件物品時，她都會問自己「這件物品能再帶給自己喜悅嗎？」能就留下，不能就丟掉。經過不斷練習，她的感覺變得愈來愈敏銳，人生也因此產生了巨大的變化。

她將這套整理的哲學集結成冊，出版《令人怦然心動的人生整理魔法》如今已成為全球累積銷量突破一千兩百萬本的暢銷書。二〇一四我們結婚後決定一起到美國發展，將她的這套理念推廣到西方世界。二〇一五年底，她入選《時代》（*Times*）雜誌的「年度全球百位最具影響力人物」。二〇一九年又受到Netflix邀請，主演與她同名的真人實境秀《近藤麻理惠——怦然心動的人生整理魔法》（*Tidying Up with Marie Kondo*）。在這個節目中，她拜訪數個美國家庭，以自研的「怦然心動整理法」（KonMari method）與他們一起清理整頓居家環境。實境秀播出後，「怦然心動整理法」在全美引起熱議，麻理惠甚至被雜誌封為全球最知名的日本人。後來麻理惠因為這部作品入圍艾美獎最佳主持人，這是史上第一位日本人獲得這個提名的殊榮。我們兩個一起走紅毯的那一刻，我為她感到非常開心，另一方面又在心裡暗自驚呼：「這個熱愛收納的女孩，居然因為擅長把東西放回原位入圍艾美獎！」

麻理惠就是最好的例子，她擅長的事說穿了是再日常不過的收納，每個人都會，但她發現自己喜歡保持整齊的特質，經過不斷地練習與精進也能成為享譽國際的人物。

成為自己不需要改變，而是整理

不過，她是如何精進自己？我們怎麼一步一步前進，至今能一起站上國際舞台？難道是我對她施展了什麼魔法嗎？世界上當然沒有這種魔法，我回顧我們經歷過的一切，其實只要掌握其中的訣竅，每個人都可以做到。

有些人可能會誤會，自我探尋的過程並不是要你做出巨大的改變，甚至你不需要刻意改變，這是你與生俱來的，只是需要學會如何運用而已。我很明白就算目前的環境有多糟，要踏出那一步有多困難。在我們決定要放下在日本打好基礎的一切，到美國發展時也是這麼害怕。

而且，無論何時、無論在人生的哪個階段，都是探尋內在特質的最佳時機，當你懂得如何適切地展現這些特質，就能成為更好的自己，隨時從容、自在且自信地前進。

真正了解自己的特質時，才能更從容地找到自己的舞台，盡情地發光發熱。我和麻理惠只是幸運地比別人更早了解這件事。希望你也能享受這個過程，用最放鬆的狀態去探尋你的特質，找到合適的場域，綻放你真正的光采與魅力。

「最真實的自己，就是最好的你！」這是我一再強調的重點，也是這本書要傳達的核心宗旨。這句話聽起來很像在呼口號，但看完麻理惠一路走來的過程，你就知道這絕對不只是一句隨便喊喊的口號，而且有方法實踐。

正因一無所有，前進一步就是進步

在我們還沒結婚之前，麻理惠在日本已經相當知名，她出版了暢銷書、有自己的整理顧問公司，甚至有許多認同她、追隨她的粉絲。在日本的時候，有出版社和經紀公司幫忙打點宣傳和出書的工作，因為有專業的團隊協助，我們可以很專注地發想新的方法去推廣麻理惠的理念。

後來我們決定結婚並移民美國後，一切都不同了，沒有專業的團隊、陌生的語言、不熟悉的環境與市場，就算她的書已經在美國出版，也不是每個人都讀過她的書、可以說幾乎沒有人知道麻理惠是誰，為什麼整理環境可以整理人生？我們必須對每一次見面的人，重新說明這些事。那時候真的有種踏進荒原的感覺，一切都是陌生而未知。

正因為什麼都沒有，所以只要採取行動就是進步。於是，我們就帶著《怦然心動的人生整理魔法》的英文版，到處去尋求機會，說實在我們那時候也很懷疑這麼做會成功嗎？但當時想破了頭也只想到這個方法。

有一天我和麻理惠獲得一個機會，有幸拜訪一位《紐約時報》（*New York Times*）的記者，佩內若普是一位資深且知名的記者，從她辦公桌上堆積如山的文件，就可以看出她是多麼有能力的人。麻理惠將書交給她，她高興地說：「這本書就像是為我量身打造的。」我們當時沒把握她會喜歡這本書，但真心地希望這套概念真的能幫助到她。

後來，她不只讀完了書，還認真地實踐起麻理惠的方法，並將實踐的心得寫成專欄，結果在全美引起了話題，文章的點閱率與分享都創下新高，這也帶動了書籍的銷售，讓《怦然心動的人生整理魔法》盤踞《紐約時報》的圖書暢銷排行榜第一名長達一年半。

隨著麻理惠爆紅，慕名而來的演講、採訪邀約愈來愈多，我們接下來幾乎所有時間都在趕場跑活動，二〇一五年麻理惠獲選為《時代》雜誌的「年度全球百位最具影響力人物」，我們便開始往返亞洲、歐洲、美洲，到世界各地宣傳麻理惠的理念。隨著書籍授權愈來愈多國家，我們的活動範圍就愈來愈廣，可以說是麻理惠的人生巔峰，在這種狀態下多數人一定會全力投入，想趁勢衝一波。但我們卻在這個時候決定將活動邀約減量一半，也因此放棄許多很難得的機會。

違反特質的行動，只會換來燃燒殆盡的自己

會決定這麼做，是源自於我們在曼哈頓遇到、令人至今回想起來還會不寒而慄的經驗。那是我們到美國的第二年，已經很習慣每天在不同的城市醒來的忙碌生活，那天我們早上在德州參加一年一度的藝術盛事，麻理惠受邀在西南偏南多媒體藝術節（South by Southwest, SXSW）中演講。這是麻理惠第一次要在這麼大型的舞台上演講，她本性其實很害羞，花了很多時間練習才慢慢敢在眾人面前發言，加上對自己的英文還不太有自信，我很明白這場演講對她而言壓力有多大，但她非常努力地練習也完美地完成任務。

活動結束後我們馬上趕回紐約，因為隔天還有一場在曼哈頓的演講，出版社的夥伴很貼心，幫我們訂了一間位於曼哈頓的豪華大飯店，景觀非常好，希望讓我們藉由美麗的夜景洗滌一整天的疲憊。但我們到飯店報到時已經是深夜了，我們簡單梳洗後就準備就寢，根本沒有體力欣賞夜景。

那天半夜我醒來，發現麻理惠坐在窗邊看著窗外發呆，我內心馬上就警鈴大作：「糟了！」麻理惠全身散發出不尋常的氛圍，我可以感受到一種很壓抑的情緒，彷彿她就要往下跳了。我立刻跳下床走了過去，將她抱入懷裡說：「我們去睡覺吧，明天還要早起。」並牽著她到床邊看著她睡著。結果換我失眠了，因為我看見了麻理惠的疲憊，她幾乎耗盡了所有力氣。

二〇一五年到二〇一六年是我們最瘋狂的一年，事業正在衝刺，我們生了兩個可愛的孩子，雖然獲得許多人的支持和幫助，其實麻理惠的身心已經撐到了極限，她後來也跟我分享了那段時間的心情，的確是讓她很辛苦的一段時期。

是我忽略了我們的「特質」不同，才讓麻理惠像燒乾的蠟燭般不斷自我消耗，因為我是個樂於分享的人，就算站在台上講上一整天都沒問題，但麻理惠本身是個內向的人，上台準備這件事其實需要她花很多心力，縱使她表現得很出色，可是要到這個程度，是她在背後投入超過身心能負荷的時間與精力。

換言之，麻理惠花很多時間，扮演一個「別人期待的自己」，雖然大家也喜歡這樣的她，但我看過太多勉強過頭而倒下的案例，只有符合本性的行動才能與特質結合，走到哪都能發光。我的工作是幫助她找到對的舞台，讓她去做能讓她累積能量、真正適合她的事。認清這一點後，我知道現在就是我們該「整理」的時候，這也是麻理惠一直在教大家的事。

我那天一夜未眠，望著升起的太陽默默做出決定，等麻理惠起床我就告訴她：「讓我們停止演講吧，採訪也要減少一半。」我希望留下足夠的時間，讓她去做她真正會快樂的事，用麻理惠的話說，應該就是「那些讓你不開心的工作就丟掉吧。」她聽到後，微笑的說：「謝謝你，我很高興聽到你這麼說。」那瞬間，我感受到她身邊那焦慮的氛圍消失了，她正在找回自己的力量。

順帶一提，後來麻理惠回憶起那天那家飯店的窗戶，她說那家飯店的設計窗戶本來就只能微微開啟，是我自己想太多了，但我很高興自己多慮的個性，讓我們能調整腳步往對的方向前進。

工作減少四〇％，品質反而翻倍成長

後來我們改變審核工作邀約的方式，九九％根據麻理惠的「感覺」評估，只讓麻理惠做她有把握也願意嘗試的事，根據這樣調整後，我們一週最高紀錄曾經拒絕四百個案子。身邊的人聽到我們這樣做，紛紛提醒我們這樣很危險，並勸我們應該把握這段時間好好衝刺，辛苦歸辛苦但很多機會錯過就不會再有了。不過我知道，麻理惠的感覺才是最重要的，只有她自己才知道哪些事能與她的特質結合，好好地發揮。

就在我們憑藉感覺「能不能為他人帶來感動」來篩選工作後，得到了出乎意料之外的結果。憑著感覺反而能與人的情感產生共鳴，加上大幅刪減工作量，讓麻理惠身心上不再感受到壓迫、焦慮，讓她能用最真誠的情感與他人互動，產出的作品反而效果更好，也更有力量。後來我們才發現，「真正讓你發光的既不需要用更多工作磨練能力，也不用要求自己提高抗壓性，只要敢於放手。」

結果，麻理惠留下的幾乎都是居家整理顧問服務，因為她認為這是令她最有收穫的工作。她到現場與客戶一起整理和提供建議所說的話，每一句都比她上台更有力量，也更有魅力。令我們都意外的是，工作減少後，她創造出來的價值更是過去數倍、數十倍。

我們後來領悟到讓生活刻意留白，當適合自己的機會出現時，才能機動地移動。這個最佳的案例，就是與網飛（Netflix）合作的實境秀。其實麻理惠的書在美國暢銷後，有超過二十家電視台找上我們想邀麻理惠主持節目，其中知名度相當高的電視台，也都開出很好的條件，但我們最後與 Netflix 合作，因為他們最能將麻理惠的價值觀呈現給觀眾。

該節目的製作人蓋爾・伯曼（Gail Berman）看到我們的第一句話就是：「這不僅是一種整理術，而是改變人生的方法。」而這也是當時我讀完麻理惠的書心裡出現的第一個念頭，這種巧合讓我當場起了雞皮疙瘩。

無劇本安排，真實感動創造出的奇蹟

決定合作後，我也加入這部實境秀的製作團隊，在第一次會議中蓋爾告訴我：「她是整理天才不是表演大師，我們不需要華麗的台詞，只要讓她專注於整理的當下，她會在眾人面前展現她如何從整理開始，改變一個人的人生，這就是我想讓觀眾看見的奇蹟。」當我提出擔心麻理惠的英文發音還不是很標準時，蓋爾大笑地說：「拜託，那正是她的魅力所在。」的確，當麻理惠用不太標準的英文充滿熱情地訴說自己熱愛的事，那畫面美極了。

因為有這麼了解麻理惠的製作團隊，我相信這部作品一定會成功。後來，我受邀擔任這部作品的導演。導演的其中一項工作，就是招募合適的工作人員，更由於麻理惠的價值觀核心就是「人」，所以從工作人員到來賓都很重要。

在挑選工作人員的時候，我們不只評估他們的專業，更重要的是他們也必須認同麻理惠所要傳遞的價值：「整理環境是幫助人生前進的第一步」，否則就很難呈現出麻理惠的魅力。因此我都會問他們：「你們認同這個概念嗎？你想如何運用專長，幫助麻理惠將這個概念更確實地傳遞出去。」事實證明，經過這些條件篩選的工作人員非常出色，我相信有看過節目的人，一定從影片中的每個角落，感受到劇組人員對麻理惠的喜愛與認同。

在挑選來賓時，我們把重點放在人生在不同階段會遇到的難題，而不是來賓的房子有多需要清理，或他們是否知名。因此我們選出來的來賓有剛生小孩的年輕夫婦、已退休的夫妻、丈夫去世後獨居的太太等，我們希望每一集中至少能對讓相近的年齡層，或有類似經歷的人產生共鳴，因此獲得繼續前進的力量。

我們沒有提供劇本，讓麻理惠得以走進來賓最真實的生活自然地互動，透過一件一件物品的收納、整理，不只找回清爽的人生，也找到改變人生的契機。透過這次的經驗我更深信，「真實」就是麻理惠的魔法，也是最能為人帶來感動的力量。

舒適的環境，反而能磨練出精準的判斷力

身為實境秀的導演，本該管理拍攝現場的一切，但我只給自己下了一道指令：「刪除那些會妨礙麻理惠展現自我的設定。」因此在拍攝現場，製作團隊與我都盡可能地讓麻理惠舒適地移動，盡可能不讓她感覺到「現在在拍攝」。後來我發現，她在協助他人整理環境時，也都是以這個概念為核心，這是麻理惠很擅長的事，她在日常生活中也在實踐這個原則。

我從旁觀察一陣子後領悟到如果想將特質轉化為魅力，重要的就是透過「舒適」去磨練判斷力，放棄那些不適合你、需要投入過多心力的事物。讓自己

處於舒服的環境很重要，在舒適的環境中，才能好好地思考哪些事物是你不需要的，會大量消耗你的能量等，進而專注於能好好發揮的領域。

為什麼要丟掉那些不適合自己的東西、不做不符合自己特性的事很重要？因為我們本能地會選擇與大眾相符、合乎他人眼光的方式做事、生活。雖說特質是與生俱來的，但當我們一直做著與特質不符的事，它就會被埋藏在內心的深處，得不到好好施展的機會，而我們又用太多力氣去滿足外部的期待，漸漸就會愈過愈迷惘、愈不快樂，連帶也會影響表現。

不錯過每個挑戰，反而錯過了解自我的機會

我以前也是這樣的人，努力活成他人定義的「成功」狀態，任何事都想挑戰看看，就像在闖關累積紀念章一樣，什麼都想做，也不管自己適不適合，做不好就花更大的力氣去學會，然後做得更好，畢竟這個社會的主流價值總鼓勵大家

「把握機會，把每個挑戰當成磨練」。

雖然我隱約察覺自己在給他人建議、輔佐他人以及溝通方面的能力還不錯，但並沒有特別發展。後來認識麻理惠才發現自己擁有太多了，我應該「捨棄」大部分，包含技能，我天生就具備的特質就是溝通的能力，我應該好好發展這塊，而不是去學更多技能，就像將所有武器都扛在身上的戰士，反而因為過度負重，毫無戰鬥力可言。

後來我透過麻理惠的身教學到如何「捨得」，多數人早上一起床或開始工作時，都會習慣列好自己今天要做多少工作，我就和大部分的人一樣，會寫下滿滿行程，能盡可能多做一些就多做，甚至把日程切成以十五分鐘為單位。但麻理惠不一樣，她也會先思考今天要做什麼，但她問自己的方式是：「今天最重要的事是什麼？如果今天要完成，哪些事可以不要做？哪些晚一點再做？」然後就好好地完成那件事。

當我練習用這種方式做事後，發現其實很多動作是多餘的，需要執行的動作大概可以刪掉一半，身心的確也輕盈很多，而且產出的價值也能不斷進步。

為自己尋找「舒適」的環境是可以從生活中開始的入門練習，我們在生活中一定因為種種理由，忍受某一種不便的生活方式，例如刷到爆毛的牙刷、很難開關的櫃子、堆在角落積灰塵的擺設等，可以動手開始從整理出舒適的環境開始，先熟悉舒適的感覺，慢慢鍛鍊出敏銳的判斷力。

愈真實，愈有影響力

任何人都可能有迷失的時候，就連麻理惠都曾為了符合他人的期待而選擇偽裝，因此承受巨大的壓力。這時候我會半開玩笑地和麻理惠說：「哈囉，有人的心走丟了嗎？」聽到這句話她會像意識到什麼，然後笑著回：「謝謝你提醒我。」通常人心一亂，狀態就不太可能會好，所以當你狀態不佳時，也許也可以這樣問問自己。

身為麻理惠的事業與人生夥伴，她的成功完全是她的努力所致，我其實沒有太多的參與，我只負責做一件事：支持她，讓她隨時保持最舒適、自然的狀態。而我一再見證當她愈接近真實的自我，就能創造出愈大的能量，這也是她能廣受歡迎的原因。

我將麻理惠與我的蛻變與成長，整理成五個步驟：

1. 找尋特質
2. 活出自我
3. 肯定自我
4. 營造環境
5. 持續成長

我以這五個步驟將本書分為五個章節，但實際上這本書沒有特定的閱讀順序，希望你能根據自己的狀態擷取到需要的資訊。我也不是一個能持續閱讀長文的人，所以每個段篇章都不長，在每章的最後附有一張重點整理表，你可以檢視自己的狀態，也快速地複習重點。

希望當你翻開任何一頁，只要有一句話或一個方法足以感動你，促使你去做些不一樣的事以更符合自己的特質，這就是這本書存在的最大價值。

CHAPTER

1

找尋特質

人生的成功與幸福，必然與個人特質呼應

每件物品都代表過去的累積，
但無法詮釋現在的你。

整理是找到自己最短的途徑

首先，讓我們從整理「內心」開始。找到特質的第一步，就是「認識自己」。你有想過採取什麼樣的行動能幫助你找到自己嗎？例如，騰出時間獨處和冥想。回顧過去的經歷並將它們寫下來，或者詢問親密的朋友或家人……當你翻閱自我啟發的書時，你會發現這世界上存在各種各樣的方法來了解自己。有些人可能已經嘗試過一些。

如果以上這些都不管用，我強烈推薦一個自己也在用的方法，就是整理。很多人可能會覺得這是毫無關聯的兩件事，但我可以很肯定地告訴你：「整理是找到自己最短的途徑。」

這當然也是麻理惠教我的事，身為一名整理顧問，我看到麻理惠透過整理改變了多少人的人生，我才明白，原來整理是認識自己的具體過程。因為你所處的環境，其實就代表著你。你的狀態、你的經歷、你的人生其實都和你的居所、你的校園或職場環境相關。

好好感謝，好好告別

所有東西都是你帶回來的，可能是你頻繁加班後在網路上的衝動購物、可能是某個好朋友從國外帶回來的紀念品、可能是對你別具意義的東西，或你生活中不可或缺的物品。如果從整個空間來看，你就是這個空間的現在進行式，而那些東西則是你的過去。

這些物品代表某個瞬間的你，也許是過去很努力的自己、很脆弱的自己；也可能是某段關係中的自己，例如與前任交往對象的紀念品、滿十八歲時父母送的禮物等，都記錄了對你別具意義的瞬間。

整理，就是在幫助你溫習並與過去和解，好好地與過去告別，所以，整理不只是打掃環境，也是幫你的人生清出空間以收藏真正的渴望。

據說，每個人會在房間裡放一萬件物品，所以當你練習過一萬次「留下還是告別？」我相信你會非常清楚自己的價值觀，也明白自己最原始的特質是什麼。關於整理的方法，建議大家可以去看近藤麻理惠的著作《怦然心動的人生整理魔法》系列。

你就是你時，
最有魅力。

努力討好他人，卻愈來愈討厭自己？

為什麼要從整理開始？因為那是了解自己的最短途徑。在了解自己後，我想請你問自己一個問題：「我是有魅力的人嗎？我的存在有價值嗎？」

如果你的回答不出來也沒關係，因為很多人都無法直接說出肯定的答案。就算認為自己是有魅力的人，若再深究「為什麼你覺得自己有魅力、有價值？」多數得到的答案都是：「我的老闆很器重我」、「老師經常稱讚我」、「父母都說我很乖、聰明」等，你有發現嗎？這些答案的開頭都是「別人」而不是自己。

我們很容易為了滿足他人的期待，不知不覺中活成了別人期待的樣子，丟失了真實的自我，因為這些肯定的回饋能讓我們獲得「自己很厲害、很有價值」的錯覺，以至於到筋疲力竭時才發現，自己再也沒辦法這樣下去，也忘了原來的自己是什麼樣子，進而陷入深深的挫折與迷惘。

肯定與喜愛的確是人們活著很重要的回饋，但要吸引他人其實不需要靠迎合他人、活成別人建議的樣子。我們最常迎合別人的方式就是跟隨潮流打扮，考量到某些場合而穿上不適合自己的衣服，實際上，外表的確是最能吸引他人的第一步，但要獲得長久的喜愛，只有從內在散發出的魅力才能直擊人心。

讓感覺帶你找回自己

現在已經不再是過去那個強調整齊劃一、凡事標準化、講求ＳＯＰ的世代了，現在的社會更鼓勵展現個人特質、發揮獨特的魅力，因此，只有你了解自己與眾不同的特質才能充分地運用，並且找到你合適的場域。

如果真的不知道該從哪裡找起，就先問問自己「我喜歡什麼？」「什麼會讓我想要試試看？」特質一直都與感覺連結，當你順從令自己「喜歡、躍躍欲試、舒適」的感覺，一定能找到自己真正的特質，接著經過練習就能將特質轉化為魅力，不用刻意表現也能逐漸展現影響力。

這就是為什麼我們的第一步是「整理自己」告別那些「他人」的東西。在整理自己的時候有一個訣竅，因為我們之所以成為現在這個樣子，與「環境、時間和人際關係」是無法切割的，因此從整理環境開始，接著再運用相同方法重新檢視自己如何安排時間，問問自己「你都把時間花到哪，哪些事會讓你痛苦？」；最後以同樣的方式處理人際關係「哪些人讓你感到不舒服、和誰在一起最舒服，什麼原因讓你覺得自在？」如果你一一回答這些問題，一定能更清晰、更立體地看到你真正的魅力，讓我們踏上尋找真實自我的路吧。

（建議搭配書末自我檢查表的練習一、練習三。）

人最難放棄的不是金錢、權力、名聲，
而是自己過去的努力。

放下過去，也不可能一無所有

你找到人生中有事物需要拋棄了嗎？建議你從那些「我不擅長但很想努力看看」或「不得不硬著頭皮去做」的項目開始檢查，你一定回從中發現你的人生根本不需要的學習與嘗試。

「捨棄很可怕。」麻理惠服務過的對象一開始常對她說這句話。我很能理解那種心情，我幾乎每次決定捨棄時都是非常不安。我第一次鼓起勇氣捨棄的，是離開人力資源管理的工作，我畢業後就進公司服務，當時我已經打下穩固的根基，決定離職時就表示我會損失超過一千名客戶，每個月也不會再有固定的薪水入帳。但換個角度思考，我也跟七年半以來睡不飽、毫無社交，只為工作而工作的生活告別。

雖然是自己決定要離職，離開的當下其實並沒有鬆一口氣，反而有種絕望感，覺得人生一切都沒了，全部都要重新開始。

實際上，我沒有一切都從頭來過。我在公司累積的經驗，培養的溝通、銷售、發現與解決問題、時間管理等能力，都內化成為我的專業，現在回過頭來想才發現，原來我放下了別人給的頭銜、薪資，才認清自己這幾年累積的真正實力。最重要的是，我從僱員轉換為創業者，為自己找到合適的環境，反而實踐對自己的人生負責的自我要求，做我真正想做的事——幫助他人找到自我價值。

過去的努力遠不及未來的可能珍貴

在我們擁有的一切裡最難捨棄的不是財富、地位或名聲，而是自己過去的努力。你是否也像過去的我一樣，為了捨不得過去吃的苦、努力的痕跡，而選擇忍受一個不太適合的環境？例如，當你想換個行業試試看時，你是否會想著：「我不年輕了，現在換工作怎麼跟年輕畢業生比，而且我好不容易累積到今天，現在放棄一切得從頭來過……。」

當然，你可以安於現狀，如果你覺得你的人生不需要這種挑戰，你完全可以留在原地。但如果你的內心一直冒出這個聲音，建議你去嘗試看看，別擔心過去會蒸發、所有的努力都會付諸流水，因為你的經歷才是最可貴的，那些過去看見的、學到的經驗，都已經成為你的實力。所以就算你放棄眼前的一切，你也不會失去所有，甚至可能得到比你想要的更多。讓我們一起練習，跟昨天的自己說：「謝謝你的努力。」為現在的自己而活吧。

不合理的要求是磨耗，不是磨練；
不合理的人就是磨人，不可能成為貴人。

寫下不想做的事

即使你試圖整理掉你不需要的東西，但你可能不知道該丟掉什麼而陷入選擇障礙。在「整理時間」上也是一樣，我們總是每件事都想做，經常聽老一輩的人說：「多做不會吃虧。」我們也很容易被這種似是而非的理論說服，畢竟技能是別人帶不走的。但你什麼時候需要那些技能？也許一輩子都不會。

我不否認每件事都有每件事的價值，就算是最基本的工作，但如果可以就把這些事留給擅長的人去做吧，你也可以專注於自己擅長的事，就從這一刻開始。

「哪些事做起來很煩、哪些事真的不想再做了、哪些事做起來很無聊、不知為何而做？」把這些從「TO DO 清單」上刪除。

（建議搭配書末自我檢查表的練習八。）

時間花在哪裡，
特質就在哪裡。

從假日活動中找到自己的特質

當你將一切的行動簡化到「喜歡、有興趣、想嘗試」，接下來會面臨另一個難題：「找回長久以來丟失的特質」。這裡有個祕訣，在行動的過程中留意自己的感覺，做哪些事你花的時間最少？哪些事讓你做到忘記時間、再難都會想辦法克服，那都是你做的事和特質相連的證明。

當我在幫助我的客戶尋找特質時，我通常不太會注意他們怎麼介紹自己，而是留意他們都在做什麼。因為人可以用嘴巴說出任何話，而真正的性格只會呈現在行動上。

因此，當他們介紹完自己或想成為什麼樣的人。我會用幾個問題聚焦、挖掘出顧客的個人特質：

「你下班或下課的時間都在做什麼?」

「哪些事是你自動自發,不是別人要求你去做的?」

以前還在人力管理公司上班時,我會利用下班時間和週末畫畫、幫朋友做生活諮商,也喜歡研究音響。我會去人氣咖啡店,也會去書店逛逛,還喜歡逛賣場、百貨。

從不費力的行動,找出自己的特質

花點時間思考哪些事是你假日在做的事?例如學習新的語言、插花、學吉他、研究紅酒?留意自己大概都花了多少時間,如果你能持續做超過七天,我相信其中一定有與你特質相連結的點。

如果真的找不到也沒關係,直接創造一個就好,例如運動、攝影、烹飪、看書……建議可以從免費的線上講座或實體研討會開始，挑幾個你感覺有趣的主題，聽幾個老師上課，如果感覺不太適合就放棄，這裡的關鍵是一定要聽從自己的感覺，這也是幫助你更快找到自我特質的練習之一。

（建議搭配書末自我檢查表的練習六、練習七。）

別先衡量價值，
才能創造出乎想像的價值。

喜歡的價值

當你發現與自己的特質連結，也能做得好的事後，你一定會問自己：「做這件事有錢賺嗎？養的活自己嗎？」

賺錢當然非常重要，某種程度上那也代表我們的價值。如果你是個務實的人，這個問題想不透就無法繼續，我建議你可以換個角度思考：「怎麼用這件事創造價值？」特別提醒的是，環境是會變的，也許現在看起來天馬行空的計畫，過一兩年就會成為炙手可熱的商業模式。比方說幾年前誰能料到，在農村開麵包店也可以透過網路販售，一個只會打掃的女孩卻成為享譽國際的名人？重要的是不要被世界磨去你對這件事的熱情，當你持續做這件事，鑽研出無人能出其右的技術，你的價值將不可磨滅。

停止與感到不適的人事物連結，
沒有什麼比守護自己更重要了。

別怕說出真實的想法，就算是抱怨

我們整理了環境、時間，就已經達到「在舒適的空間與喜歡的事物共度時光」的成就，接下來就是整理人際關係了。

在人際互動中，我們很容易不小心就受傷了，有時是別人不經意的一句話，有時是不太熟悉的人引起的誤會，也有時是我們自己對自己造成的傷害。

「這時候說出來會影響氣氛，忍一下吧。」

「對方講話也太過分了，有必要說的這麼難聽嗎？但現在回嘴一定會吵起來，算了……不跟他計較。」

像這樣為了和諧、不破壞氣氛而說隱忍的情緒，都會變成利劍插在自己身上，造成內心極大的壓力，所以任何話都要說出來，尤其是抱怨。

但是有些場合就是不適合，或是說出來讓你壓力更大時，我可以分享一個我常使用的方法，就是拿出智慧型手機或電腦，開個記事本記錄下來。為什麼不用寫的？因為寫字一定會經過思考，寫的時候也會考慮排版，但打字可以是直覺的反應，有什麼想法當下就直接打出來，這麼一來能紓解情緒，二來也不會破壞氣氛。

先讓情緒飛，理智自動復位

打字的時候我就是一鼓作氣地打，反正也不需要給別人看所以不會排版或選字。通常會把這類檔案留一天，隔天等情緒穩定後再回過頭看，其中會有不少思考的盲點，當然也有即使看兩三遍還是對方不合理的地方，不過這時候就能針對那些矛盾再深入思考。也可以清楚分析哪些事是被迫去做，你根本不想做的，就可以果斷放棄或想辦法外包；有些只是情緒上的反應，不是真的不可行的，也可以順從內心去試試看。

同理，如果生活中真的有些怎麼樣都相處不來的人，建議你一定要想辦法整理關係。因為若你不是打從心理喜歡對方，無論你和對方在一起多久，都不會為你們加分，只會互相消耗而已。如果對方的發言讓你受傷、痛苦甚至因此生病，無論是父母、伴侶、手足或至親好友，都應該先停止聯絡。請記住，沒有什麼比守護自己更重要了。

別讓你的天才，
埋沒在他人出自善意的建議。

整理周遭的期望

生活愈認真的人愈容易掉入來自他人的「期望枷鎖」，他人的期望通常都是善意的，希望你成為更好的人、認同你的能力所以對你有很高的期待，這也是很多人認為不能辜負別人的心意的主因。但是，如果你覺得疲憊，請停下來。就像前面我說的那句話「你才是最重要的」。

在生活中幾乎無法避免別人賦予的期許，不分年齡、能力、生活條件、社經地位，每個人都會收到大大小小的期許。即使像麻理惠這樣成功的女性，還是常常會聽到「你如果能更〇〇就更完美了」。

例如我們在拍攝實境節目時，我希望能透過問題勾起來賓思念亡夫的情緒，引起觀眾的共鳴，最好還可以流下眼淚。因此我建議麻理惠問：「你和你已故的先生最難忘的回憶是什麼？」

這對製作團隊來說似乎是一個正確的想法，能讓觀眾更感動。但我想起了自己的初衷，我的立場應該是幫助麻理惠保持最自然的狀態，如果請她去問類似的問題，那就打破了這個原則，麻理惠也不是麻理惠了，不可能為觀眾帶來感動。

不是流下眼淚，就能觸動人心

我們後來沒有告訴麻理惠我們本來的想法，而是讓她自己與來賓自然互動，在整理亡夫的東西時，鏡頭中的兩位就像朋友一樣，溫暖地聊著來賓過世的先生，那畫面反而更令人動容。我才發現，原來不用眼淚或哀傷的表情，只是平靜地聊起逝去的親人，那種自然流露出的思念比哀痛更觸及人心，也更深刻。後來這集的收視率創下前所未有的佳績，這證明我們當初的決策沒有錯。

再說一個小故事，麻理惠在美國爆紅後，也有不少人建議我們，應該讓麻理惠更符合日本東方女性的形象，例如穿上和服，妝容也不該這麼時尚。我們當然沒有聽取這個建議，因為「那就不是麻理惠了」我也很難想像麻理惠真的被打扮成那樣，會製造出多「恐怖」的效果。總之，她必須是她自己，才是最有魅力的麻理惠，任何人都是如此。

（建議搭配書末自我檢查表的練習四、練習五。）

人生本來就像鐘擺一樣，
會在兩個極端之間來回擺盪。
當你放任自己放鬆到一個狀態，
反而會從體內湧出強大的校正能力，
進而採取積極的行動。

刻意失常是回歸正常的捷徑

一路順遂的發展固然令人羨慕，但偶爾我們也需要跌倒的經驗，尤其在迷惘的時候。因為人很容易安於現狀，如果環境很安穩，就很容易固守既有的成就，不想再多努力一些，我就是很容易對自己寬容的人，所以很清楚這點。

因此，我偶爾也會放飛自我，明知道這麼做不會有好結果，還是會讓自己順著心中的欲望去做。因為讓自己進入一個不正常的狀態，其實也是一種激發自我覺醒的捷徑。以我為例，我很喜歡看搞笑短片，如果可以毫無限制地躺在沙發上，一邊吃洋芋片一邊看搞笑短片，我一定會這麼做。如果看到我這麼做了很多天，麻理惠也會冷不防地說：「你又進入耍廢期了？」她這時候的表情看起來很有威嚴，不過沒關係，因為她一直告訴我「自己是最重要的」，所以我不打算做任何改變。

不過，通常再過幾天我就會感到不安，宛如從一場美夢中驚醒：「我到底這麼做多久了？我浪費了多少時間？我必須快點做些什麼！」而設法改變這個過度安逸的狀態。

為人生製造失衡的機會，是為了取得更大的平衡

人生本來就像鐘擺一樣，會在兩個極端之間來回擺盪。當你放任自己放鬆到一個狀態，這個狀態反而會促使你產生強大的罪惡感，進而採取積極的行動。

所以，我不覺得跟著感覺走是危險的事，有時候擺脫規律的生活，反而能幫助自己打破無意識生活的狀態，找回積極前進的渴望。

就像我們一直強調的，你是最重要的，如果你也覺得當下的狀態是最好的、最舒適的，不想改變、不想冒險、不想挖掘特質，更不想運用你的特質發

揮影響力都沒問題，只要你一直聽從自己內心的聲音，你就能活得最真誠、自然，那麼就算你不去探尋，也能自在地運用你的特質。

你是個這麼棒的人，
值得去看看更遼闊的世界。

珍惜那個會說「你很棒」的人

我從小在日本廣島的一座小島上生活，直到高中以前，都在當地的公立學校就讀，後來因為考上大學才離開故鄉前往東京生活。到東京後，迎接我的是滿滿的衝擊和迷惘，直到即將畢業，學校發下來就業意向調查表，我甚至不知道怎麼下筆，我不知道我的未來在哪。

過了十五年後，我卻能發自內心地告訴所有人，我很喜歡現在的自己，甚至每天早上對自己說：「你是個很棒的人。」會有這麼大的轉變，是因為我遇到我的妻子，麻理惠是第一個跟說我「你已經夠好了」的人。

從踏入社會後，我遇到的人總是對我說「你應該還可以更好」、「再努力一點吧」我也將這些話放在心上，兢兢業業地做好自己的工作，並且追求更多、更好、更強大的自己。這也是普世的價值觀，但就像我們不斷提到的「只有你是最重要的」那些別人的期許、符合社會價值的評論，真的能幫助你提升價值嗎？真的能突顯你的魅力嗎？當然是不可能，我們就回過頭來想，那些這樣告誡你的人都成功了嗎？都成為令你敬佩的人了嗎？或是受到全世界的推崇？所以，大可不必管那些聲音，因為只有你知道自己的特質，知道自己最舒適的環境在哪裡。

一定會有個人，真心地認同你

話說回來，如果你遇到一個能跟你說「你很棒、你超了不起」的人，那一定要好好珍惜。如果你還沒有遇到，就去尋找，建議你可以找個你感興趣的團體，或是你想學習的主題的社群，相信你可以找到志同道合的人，也會找到真心肯定你、欣賞你的人。

我之所以會認識麻理惠，也是我在大學時期一起參加了一個校外的活動，在要前往會場的電梯裡我和她互換了名片，我記得那天她穿著飄逸的洋裝、拿著一張粉紅色四邊還刻意做成圓角、看起來「非常女生」的名片給我，我對她的第一印象是：「這女孩好像怪怪的，還有，什麼是整理顧問？」當時我們都未曾預期，後來會成為彼此事業與人生的夥伴。

與她再相遇是六年之後，那時我在人資訓練公司工作，每天專注於服務我手上的每個客戶。但麻理惠跟我說：「你是個這麼棒的人，應該可以去看看更廣闊的世界。」她的這句話點醒了我，後來我思考了一陣子，決定辭掉工作和她一起到美國發展。當時我同時也報考了耶魯大學，如果那時候沒有接到錄取通知，我可能就不會去了，也不會和麻理惠結婚，感謝耶魯大學錄取我！

整理時間時，
最先捨棄的就是那些你做不來的事。
當你刪除後，又會對它念念不忘，
一直想重新找回來的，
那就是你命中註定的事。

從弱點育孕出人生中最耀眼的技能

我們很少一開始就覺得一件事很有趣、好玩、很想一直做下去。通常是克服某些困難，才會孕育出這種感覺。實際上，從弱點孕育而生的力量，是最強大的，通常也會變成你人生中最耀眼的技能。

麻理惠就是最好的證明。她現在是享譽國際的整理專家。但她起心動念開始學習整理的動機，是因為她很不擅長打掃衛生。她五歲的時候就看媽媽買來的主婦雜誌，對家務事很感興趣，媽媽也慢慢教她煮飯、縫紉、清掃等，但她最不擅長的就是清掃整理。

她幾乎每天都整理自己的房間，但才剛打掃完沒多久又會變回凌亂的狀態，這讓她非常挫敗。「我不能被整理房間打敗。」憑著這股決心，她開始鑽研收納整理的技巧，可以說她的房間就是她的發跡地。

從弱點長出獨特影響力

比起被不擅長的事物打敗的沮喪，克服不擅長事物的興奮感會帶來更強大的力量。看麻理惠現在有多成功，就知道她當初到底有多不會打掃房間了。不過現在的她不僅能輕鬆維持自己的環境整潔，甚至可以幫助大家整頓環境和人生，這就是她克服弱點後產生的強大能量。

不只是麻理惠，日本知名的勵志書法家武田雙雲、人氣爆棚的暢銷作家兼心理師 DaiGO 也都是這樣走過來的，武田老師開始寫書法的原因，是因為覺得自己的字實在太醜了，愈寫愈自卑，為了改善自己的字體開始練字，後來開始練習寫一些正向積極的話，沒想到本來容易負面思考的個性也因此改變；心理師 DaiGO 一開始以會讀心術在日本爆紅，成為許多綜藝節目的固定來賓，他在節目上看起來能言善道，很懂得如何與人相處，其實他本來不是心理學相關學系畢業，是因為自己實在太不擅長與人溝通，想要有所改變才去鑽研心理學，而成為從行動就能觀察出人因的心理大師。由此可知，想克服弱點的欲望所帶來的動力是最強大的，也許多人能發揮特質，找到自己獨特影響力的重要過程。

我們的確不該什麼事都嘗試，前面也有提到要整理時間時，最先捨棄的就是那些你做不來的事。不過，有一個指標可以分辨出哪些是你值得繼續磨練的，那就是當你刪除後又會念念不忘，一直想重新找回來的。如果是這樣，就果斷地找回來吧，因為當你整理完環境，都已經經歷過一萬次清理練習了，你完全能分辨哪些會是對自己來說最重要的事。

也不要否定自己的缺點，人本來就有優點也有缺點，如果你懂得善用優勢，那也不過只展現了五〇%的自己，懂得與缺點共存的人才是完整的，而最真誠自然的你，一定比任何人都有魅力。

（建議搭配書末自我檢查表的練習二。）

找尋特質的祕訣

1. 整理你的物品。
2. 列一張不做的清單。
3. 從 TO DO 清單中刪掉一半的工作。
4. 寫在自己度過假日的方式。
5. 別悶在心裡，不開心的話都打出來。
6. 寫下與自己的感覺相違背的他人期許，然後扔掉。
7. 找到真心認可你、欣賞你的人。
8. 寫下你覺得適合自己的事。
9. 無法解決的煩惱也寫下來。

祕技：別剝奪自己跌倒的機會，偶爾放縱一下。

CHAPTER

2

活出自我

在垃圾場裡，
鑽石也難彰顯價值

每個想法、特質或行動都有價值，
在對的環境中，
就能產生超乎想像的影響力。

等待風起，趁勢而飛

真正了解自我特質的人不會尋求當下、立刻的發展機會，而是會抓準時機趁勢而起，所以掌握潮流很重要。但掌握潮流不是隨波逐流，改變自己的性格，這是毫無意義的事。

還記得前面提到找到特質後，也要找到讓自己發光的地方。當自己的特質與大環境格格不入時呢？例如不符合國情、與民族性不符等，也許你可以考慮換個環境，如果做不到，也可以先把自己珍貴的特質收好，等待環境和時機成熟。畢竟，鑽石也必須被識貨的人發現，才會看見其可貴之處。

就像我和麻理惠，我們生長在日本，從小到大都被教導要遵守規矩、不要為他人添麻煩並且為了強調整體性，盡可能抹去個人主義、英雄主義，所以當違背主流價值的理論出現，就很容易被抨擊。例如麻理惠提倡的整理概念，其實因為她自己看過一些禪宗相關的書，所以有部分概念可能是源自禪宗的思想，但對於日本的禪宗而言，麻理惠就像個異端，我們也因此遭到不少非議；另外，亞洲國家對於家、土地有很深的情感，因此通常很重視房地產，甚至許多人從小到大的夢想就是買一間屬於自己的房子。但麻理惠提倡的整理概念是，「如果擁有這樣物品無法讓你感受到喜悅，就應該放棄」，所以如果買房子、照顧房子反而造成很大的壓力，她認為也應該斷然放下，但當她說出這番言論時，又遭到不少日本媒體的攻擊。

後來因為麻理惠的書在美國上市，我們也開始在美國跑行程，本來以為因為文化的不同，歐美這種崇尚自由、開放的環境，可能會覺得這種說法很老派、很無聊。結果沒想到她的理念受到大家肯定，還在美國形成「麻理惠炫風」，大家紛紛讚美她的整理技巧，甚至覺得這套概念「超酷」，這著實讓我們驚訝。

只有不適合的環境，沒有無能的人

我想說的是，其實每個想法、特質或行動都是有價值的，只是環境不同，會產生不同的結果，因此如果這個環境不適合你，這個國家不適合你，也許你可以到其他地方看看，我們很幸運，活在一個能用與眾不同、用特質創造價值的年代，就算現實世界中找不到適合的場所，透過網路連結，一定能找到讓你最舒適的位置。

做喜歡的事，一定會產生價值。
不會讓自己產生過度負擔的方法，
都值得一試。

沒有適合的工作，只有適合自己的生存方式

「活出自我價值」這句話我們常常聽到，但執行起來卻很難，甚至連自己的價值都不知道是什麼，這時候請你保持簡單思考。

把不擅長、被逼迫去做、拖延的事都刪掉後，只要繼續去做那些被留下來的事，你會發現就算沒有人要求你，你也會主動去做而且不費力，而且愈做愈好。讓我們一起練習，從「拚命努力」畢業。

麻理惠也是一樣，她一開始也不知道自己的價值在哪，她就是一直做著自己喜歡的事，從中找到自己的價值，甚至創立前所未有的新職缺「整理顧問」。就這樣持續地做下去，她將整理物品獲得的理念，傳遞到全球一百九十個國家，甚至出演 Netflix 以她為名量身打造的原創節目。

你有不和別人分享會死的愛好嗎？

「做喜歡的事就會產生價值」這是麻理惠教我的事。現在，也的確有很多人用意想不到的方式創造價值，因而引起熱烈迴響，例如最近很多網紅會製作有趣的梗圖、迷因甚至因此爆紅，也有人因為喜歡吃拉麵，就成為 Youtuber 開設專門介紹拉麵的頻道。

這世界上到處都充滿資源，端看誰懂得運用並且發揮到極致，這個邁向極致的結果，其實就是資源與你的特質互相結合，所創造出來的效果。

你有喜歡到不和別人分享會死的愛好嗎？你有自己覺得超級棒的理念，也覺得這件事可以為更多人帶來有益的生活嗎？或是你有一個幫助他人的念頭，但是遲遲沒有付諸行動。如果你也有這樣的想法，你可以進一步思考，怎麼用你的特質做到這件事，例如細心可以如何幫助你達成這個渴望、善於與人相處能助你完成這個目標嗎？

當然，也有些人天生不擅長蒐集、分析資料，這時候就再退回來，想想那種方式你做起來最沒有負擔，與熟人聊聊嗎？找老師上課嗎？還是找專家諮詢？只要是能幫助你完成這件事，而且不會負擔太重的方法，都是值得一試的方法。

無法將時間花在對自己有意義，
讓自己舒適的事物上，
才真的是一種浪費。

首先，從幫助一個人開始

如果你不太確定這件事是否就是你的價值所在，不妨用這件事來驗證：用這個特質去幫助一個人。例如你喜歡設計網站，剛好聽到有朋友想創業沒什麼錢，也許你可以幫他設計網站；如果你喜歡做甜點，就去打聽看看朋友間是否有人要舉辦活動，或許可以自告奮勇地提出建議：「如果是準備這樣的點心如何？我可以幫忙喔。」別小看像這樣跨出一小步，累積起來的每一步都是你前進的動力。

麻理惠的第一步是在大學時期，她主動提議要幫同學整理房間，她曾經跟我說過，就是因為那次幫助朋友的經驗，聽到朋友真誠的感謝，讓她覺得這件事很有意義，她想要幫助更多人生活在舒適整潔的環境裡。

我自己轉變的起點，也是從幫助人開始。在還是上班族的時候，我很重視每個客戶的請託，後來我才發現，讓我願意一直努力下去的動力，正是親眼見證客戶突破自己的盲點，明顯進步的感動。

三個問題，釐清自我價值

人生苦短，時間有限，如果無法將時間花在對自己有意義，讓自己舒適的事物上，那才真的是一種浪費。當你第一次幫助別人後，我希望你回頭想一想：

1. 在這個過程中你最喜歡哪個過程？
2. 你覺得自己怎麼樣幫助到他人？
3. 自己做的與別人做的有什麼不同？

釐清這三個問題，我相信你會更明白自己的價值所在。

實際上，在幫助他人的過程中，也能更精進你的能力並強化特質，反覆試行後，相信你也會愈來愈懂得如何運用你的特質，對他人產生正向的影響。

（建議搭配書末自我檢查表的練習九、練習十。）

所有的情緒都是你，
當你完整接納自己，
才能擁有全部的力量。

把耐心與包容留給自己

「有太多成功案例擺在眼前，對比現在的自己根本一無是處，現在才開始去做什麼都來不及了。」看到這麼多成功的案例，你也曾出現過這樣的念頭嗎？沒關係，我曾經這樣想過無數次。

在尋找和測試的過程，一定會經過無數打擊，其中很多打擊可能是自己給自己的。但這都不要緊，因為所有的情緒都是你，當你完整接納自己，才能擁有全部的力量。你只要用整理的概念整理心情就好：「這樣想會讓我比較舒服嗎？」如果沒有，就跟它告別吧。當然，如果你覺得這樣想好多了，也可以留下這個念頭。

還記得我大學快畢業時說的夢想嗎？「我希望自己做的事，能讓世界變得更好。」這個目標現在看來還是非常遠，但我可以說，自己現在做的事的確能讓別人過得更好，而我也相信這會產生一個良善的循環，就能離目標愈來愈近。

往前踏出的每一步，都是進步

所有的事都是這樣，看似遠大的目標，都是需要透過一步一步的累積才能達到。我們所見的成功案例，背後也可能努力了十年、二十年。重點就是，你有朝著目標前進嗎？你知道自己在追尋什麼嗎？

而在這條修煉的路上，我們都可能犯錯。我和麻理惠在還不認識彼此之前，也沒有少犯過錯，當然現在也還是會。我們也會對自己的失誤感到憤怒，對停滯不前感到焦慮，也可能把工作搞砸。

所有的錯誤，都源自於不熟悉。沒有人想要故意犯錯，只要更熟悉就好了，那就需要時間練習，給自己更多耐心與包容。而錯誤的存在，也都是為了前往更正確的道路。

就算連續犯錯也無妨，還記得我說過的鐘擺原理嗎？當人生走到一個極端，一定會產生一股能量，幫助你校正回歸到舒適的狀態。

當你專注於只有自己能創造的價值，
永遠都能為自己與他人
帶來更多感動。

擺脫競賽思維，迎接無限世界

很多人把人生當成比賽，以追求第一為目標、考試第一、體育競賽第一、歌唱比賽第一、畫畫第一等，在各領域追求第一名。如果你一路走來也是以此為目標，接下來我要說的話，對你而言可能有些殘酷，「就算你再努力，名次對人生也毫無意義」。

這就像爬山一樣，第一個上山的人和之後才攻頂的人看到的風景是一樣的，走的路、休息的山莊都是一樣的。真正的差異不在名次，而是你從這趟旅程中獲得多少，而且能帶給他人多少價值。也就是比起第一個上山，能分享更多實用資訊的人更能獲得眾人的信賴。試想，第一個上山的人只是一味地說山頂的風景有多美、空氣有多好、沿路的景緻有多迷人，聽到這樣的內容，頂多就是獲得

「哇，好棒喔。」聽起來有些膚淺的讚美；後來才出發的人分享的內容若是：「建議體力沒那麼好的話，可以先試試看走到第一個涼亭就好，接下來的路就比較適合有經驗的登山者」或「我知道一個祕境可以看到很美的日出，我再把路線畫給你」，像這樣分享別人無法提供的資訊，才是價值的所在。

尤其在這個強調差異的現在，排名根本沒有意義。今天的第一名，明天可能就從神壇上摔下來；這一刻的第一名，下一刻可能馬上就被超越，靠名次證明自己，就得不斷追逐直到精疲力盡，但當你專注於只有自己能創造的價值，永遠都能為自己與他人帶來更多的感動。

日常小事也能創造無限價值

麻理惠也是從一件微小的「整理」開始，把這件事做到最好，再用這個方法幫助更多人，而達到現在的境界。對於還不太了解自己有什麼價值的人，這是個絕佳的時代，你可以練習從日常中觀察自己的價值所在，也可以看到許多用微小的事創造巨大價值的成功案例，例如家庭主婦天天為家人親自下廚，為了家人的健康而研究出的健康、能快速上桌的食譜，因而成為知名的部落客，甚至成為作家；或是因為喜歡搜集優惠資訊並與大家分享的工程師，寫出方便一般人比價的App，後來賣給企業。所以，不要小看自己做的任何一件事，你絕對能充分善用自己的特質。

（建議搭配書末自我檢查表的練習十一。）

這世界上有人會討厭你、質疑你，
但一定也有人喜歡最真實自然的你。

真實之所以閃耀，是因為稀有

當你捨棄那些為了在群體中生活而不過分突出的偽裝時，你的人生會變得如何？這件事也曾發生在麻理惠身上。

麻理惠到客戶家拜訪客戶時，通常在開始整理前，她會跟客戶的「房屋」打招呼——把身體坐直，再九十度鞠躬。這行為看在外人面前一定怪透了，但麻理惠做起來非常自然，自然到讓旁人忍不住想跟著她一起做。我曾問過麻理惠為什麼要這麼做，她回答：「這是我跟陌生空間建立良好關係的第一步，謝謝他們一直照顧這個家的主人。」她將這個行為稱為「感謝房屋」的儀式。

後來在她的實境秀裡，也都能看到她這麼做。很多日本人看了節目後在網路上留言：「這是為了節目特別製作的效果嗎？是製作組特別要求的嗎？」實際上，她一直都是這麼做的，在日本當然也是。

只是，在日本時麻理惠給觀眾的印象就是「很會整理、很會做家事的鄰家大姊姊」，節目製作人往往會以「這行為有點奇怪，擔心會破壞麻理惠的形象」為由，而把這個片段剪掉。而許多節目為了效果，會希望她說一些比較毒舌的話，認為她甜美的臉蛋說出毒舌的評論所製造的強烈反差，會帶來很棒戲劇張力。但那真的和我認識的麻理惠落差很大，我經常回過頭去看她參加演出的節目，每次都會很疑惑「那真的是我認識的麻理惠嗎？」

遭受質疑時，用更堅定的自我回應

後來出演 Netflix 的實境秀，我們將她原原本本地呈現在觀眾面前，也收到許多觀眾的留言詢問：「為什麼她要身體坐直對房屋鞠躬呢？」我們也會一一解釋麻理惠這麼做的目的，結果沒有人覺得她很怪，反而讓觀眾了解她對整理的熱情與認真，更將「善待與你共同生活的人事物」這樣的概念，傳遞給更多人。

由此可見，愈接近真實的面貌，其實愈有魅力。不要擔心被質疑、傷害或否定，一定會出現認同你的想法、真心喜歡你的人，勇敢地展現吧。

對自己過度的要求
不會為自己增添動力，
反而是一種自我傷害。

大家都說應該做，就不用一定由你來做

在日本高三那一年都會填一張「期望（Want）、能力（Can）、必須（Must）」的自我分析表，很多人是透過這張表第一次認真思考人生規劃。這張表格的三個圓，分別代表

- **期望**（Want）：你想做的事
- **能力**（Can）：你能做到的事
- **必須**（Must）：必須完成的事

而這三者重疊的部分，就是最適合你做的事。

很多人在填這張表單時，都會落入同一個陷阱，就是把「必須」那個圓放

到最大。這就是「過度自我要求」症候群，因為從小到大不斷被灌輸「你『應該』更努力」「你『必須』繼續挑戰」「你『一定要』做到，別讓父母失望……」因為習慣了拚命追求，導致多數人會認為一定要做最多的事，才對得起自己的努力、獲得周遭肯定。

但就我從事人才培育多年的經驗，看過無計其數的優秀人才，因為過度的自我要求反而無法達到巔峰表現，反而成為自我傷害。

用「想要」，取代「一定要」

我剛來到美國的時候，聽到很多朋友說：「日本有很多優秀的人才，但你們必須做的事太多了，反而影響表現。」聽到這句話我才恍然大悟，一直以來我也是這樣，總是把義務放在「我想要」之前，以為這樣才是負責任的表現，實際上，這麼做只會徒增壓力，更何況，如果是大家都認為應該做的事，那應該也會有很多人可以勝任這件事，就不必一定要你來做了，不如把心力放在「我想要」做的事上。

現在，就試著把「必須」的圈圈縮小，把「期望」的圈圈放大，這麼一來你一定能發現有些事即使不用太費力，也能做得很好、不用別人逼迫也會想要一直做下去，那就是能讓你充分發揮特質的事。

影響力不是來自於名氣的累積，
而是這件事能幫助到多少人。

沒有名氣如何產生影響力？

無論是任何事，第一步都是最難的。就算知道去做的這件事很有意義、有價值，卻常常因為大大小小的顧慮而裹足不前，比方說「我不行啦，又沒有人認識我，做了也不會有什麼影響力」，或「還是要有聲量的人去做，才會比較有效果」每當聽到充滿無力感的理由，都會感到相當惋惜。因為會說這類的理由，往往是不自覺受限於他人期待的證明。

就像我一再強調的，只有你是最重要的。專心去留意自己的情緒，當你感到舒適、愉快時，自然就能發揮出你真正的力量。

麻理惠也不是因為有名，才開始去做她想做的事，而是她感受到「整理」對自己的幫助，並想要將這個好處與大家分享，她從來沒有想過自己會變得如此有名，但她的確懷抱著希望全世界都能認識「整理」的美好。我從她身上學到，真心渴望所產生的強大力量，比名聲地位甚至財富都更具影響力。

當你順應內心的渴望，全心全力去做這件事時，身邊的人也會被你認真的態度所吸引，慢慢就會放大你的影響力進而影響更多人，或許這麼做不會讓你一夕成名、爆紅，但一定會有人因為你做的這件事獲得正面的影響。

活出自我的祕訣

1. 順應趨勢而不盲從，更能讓你接近真實的自己。
2. 從第一章找到自己合適的方法，找到自己的特質。
3. 寫下符合自己的特質，又能為他人創造價值的事。
4. 寫下實踐自我後的成功與失敗經驗，分析原因。
5. 不要先考慮哪種能力比較有價值、更容易獲得肯定，而是去做你真心想做的。
6. 「做起來很痛苦」、「愈做愈不快樂」的事，果斷放棄吧。
7. 練習慢慢減少工作與生活中「不做不行」的工作。
8. 別用自己的影響力或名聲，去衡量自己應該做哪些事。

CHAPTER

3

肯定自我

別人給予再多讚揚，
也比不上對自己說：
「你已經夠好了。」

練習將真實的想法
轉化成對他人有幫助的資訊，
自然能累積影響力。

以自我升級取代改變

前面兩章提供了不少方法，幫助大家更了解自己，挖掘自己的特質並透過反覆練習將特質淬煉成強項，對他人或社會產生正向影響力。接著，就進入下一個階段，也就是將你的目標、行動理念清楚傳遞給他人。

就像與第一次見面的人交換聯絡方式一樣，通常會反覆確認對方留下的資訊是否正確，以及方便聯絡的方式，是透過電話比較方便，還是習慣透過通訊軟體，或是用電子郵件會比較恰當？先確認對方比較方便的聯絡方式，也能避免為對方帶來困擾而影響溝通的品質。

想要留下肯定自我的訊息，也需要先確認自己的「聯絡方式」，你比較喜歡閱讀文字還是看短片？早上比較能擁有獨處的時間？還是晚上的感覺比較敏銳？像這樣探索自己的喜好也算一種事前練習，未來要將你的理念傳達給他人時，你就能自在地與他人交流，不會感到慌亂或無所適從。

升級的最短路徑：善用你的偏好

另外，了解自己的「偏好」也很重要。什麼樣的內容會讓自己感動，什麼樣的風格會讓自己願意了解更多，如果想要探索自己的偏好有一個很好的方法，就是透過網路觀察或訂閱幾個自己覺得滿有趣、值得一看的部落格或 Youtube 頻道，去分析這些內容會讓你更清楚自己的偏好，你喜歡誇張一些的風格，還是能夠引經據典、有科學佐證的內容？你對條列式的分析比較有感覺，還是有故事、案例的內容更能說服你？

為什麼要做這些功課？因為若想要成為一個優秀的傳遞者，就得先成為優秀的接收者，所謂優秀的接收者，就是能「分辨訊息的價值」，看懂訊息裡蘊含的重要資訊。在你研究這些溝通的風格時，不旦能透過自己最舒適的方式學習新知，也能找到最符合自己的風格與大眾有效地溝通，這麼做將能幫助你更有自在、自信地將你的想法分享給大家。

此外，我也建議大家付費去訂閱一些你認同的頻道或課程。不只是吸收你感興趣的知識而已，請從「為什麼我願意為這個內容付費」的角度思考，因為這將幫助你練習如何傳遞有價值的內容，讓你的理念能傳遞的更廣、影響更多人。

向專家學習失敗經驗，
比拷貝成功模式更有價值。

用錢買得到的經驗都很划算

大部分的人都渴望成長、持續進步，也會主動尋找資源。不過，不少人在搜尋學習資源時，會刻意避開需要花錢的項目，這樣看似省下不少學費，反而會帶你繞遠路。就像上一篇提到的，要提供有價值的訊息前，你必須了解哪些訊息能對他人產生價值。這些專家將自己的學習經驗，淬煉成多數人可以納為己用的知識，正是他們創造的價值。而所有能付費買到的經驗都很划算，因為那些經驗中包含了試行錯誤的時間、研究的心力、遭受挫折的心理壓力，試想若可以省下這些心力還能得到別人整理過的寶貴經驗，不是很划算嗎？

我想分享一個自己的故事。在開始經營推特（Twitter）前，我是某間人資管理公司的職員，我的工作內容與經營社群完全沒有關聯。是離開公司後我才開始鑽研社群經營，而這看似不務正業的經驗，反而是後來我能與麻理惠一起經營媒體公司，甚至與 Nextflix 合作，以及後來與國際級的媒體公司合作的重要養分。

會開始研究社群經營的起點甚至單純的令人發笑，因為那時候剛辭職也沒有特別想做的事，因此經常在社群媒體上與他人互動，也追蹤不少有趣、厲害的人，愈玩愈覺得有趣於是我一開始先去買書研究。後來為了提升自己的能力，也很想了解別人都是怎麼做的，於是我訂閱了日本知名知識型網紅山田研太的付費頻道。

投資自己的金額多寡，源於對自我的認可

回想自己一路走來，真正認真開始鑽研如何經營社群媒體，都是從「付費」開始，買書回來看，才發現這件事其實能創造更高的價值，於是開始認真實踐從書上學到的方法；訂閱山田的付費頻道後，看他分析許多自己曾經犯過的錯

誤，我才能及時修正自己的策略，也掌握社群經營最新的趨勢。

麻理惠的起點，也是從付費參加日本暢銷書神之推手土井英司的工作坊，她一直都有訂閱土井老師免費的電子報，透過老師的書評分析，不但因此讀了很多好書，也不斷精進自己與大眾溝通的方式，後來發現土井老師有開付費的工作坊，這讓她非常心動，但對於當時剛畢業的她來說，報名費一萬日圓幾乎等於一星期的生活費了。最後她還是報名參加了工作坊，當天土井老師分享如何持續精進自我時，提到：「如果你捨不得花這個錢投資自己，就表示你不認為自己有這樣的價值」麻理惠後來告訴我，她當天聽到這句話後臉馬上就紅了，對於自己一開始的猶豫不決感到羞愧。

後來，麻理惠持續參加土井老師的工作坊，積極提升自己的能力，也因為和土井老師合作，創造全球暢銷二十萬本的《令人怦然心動的人生整理魔法》。

當然，為自己篩選合適的內容很重要，也可能付費後才發現對方提供的資訊無法說服你，但這也都將化為你的學習經驗，成為你成長的養分。

如果你只是去參加講座而不發言，
不如把時間和金錢拿去吃碗拉麵。

正因為努力很珍貴，更要多做一點

為了學習某項技能而花錢，從另一個角度來看，其實也是在證明自己有多少決心要學好這件事。

我也參加過很多研討會、講座或工作坊，經常看到現場坐滿了人，大家都聚精會神地聽專家分享自己的經驗，但每到了QA時間，卻總是只有不到十分之一的人有勇氣舉手發問，大概也只有舉手的那些人，會另外找時間與專家交流。每次看到這種場景都覺得好可惜。其實，每個人都是心中有疑問或想要補強自己的不足才會到現場，你會感到疑惑的事，一定也會有人跟你有相同的困惑。就大膽地提問吧，這也是你能創造的價值。

我第一次參加講座時也是很緊張，現場大概五十人左右，但講座還沒開始前，大家散發出的努力和積極的氛圍讓我感到很震撼，我下意識地往後排坐，最好能找個隱密的角落躲起來，連講座結束後交換名片的時間，我也是排在最後面，還一邊在心裡祈禱趕快結束。但回家的路上，我開始不斷地批評自己：「你去幹什麼？根本在浪費時間，還不如把錢拿去吃拉麵。」我對於當天的表現超級不滿意，因此下定決心要改變。

後來有機會再參加講座，我就換個方式鼓勵自己：「今天就是講座大冒險，如果你能坐在第一排又向主講者提一個問題，就算挑戰成功！」結果之前讓我很難做到的事，突然變得簡單，我也從中獲得成就感，每次參加講座我都為自己設定不同的挑戰，本來不太敢嘗試的舉動都變得很刺激、很有趣。

也是因為這樣的改變，我在某次去和民集團創辦人渡邊美樹的演講時，讓他留下很深刻的印象。他在演講時提到：「沒有任何事值得你放棄與夢想的約會。」這句話大大鼓勵我，會後我甚至主動上前想與他換名片，當時我已經做好被拒絕的心理準備，但沒想到渡邊先生笑著說：「你就是剛剛演講時很認真參與的那個年輕人，你提的問題都很有意思。」並遞給我一張名片。

羞愧、恐懼真的是你需要的嗎？

仔細想想，羞愧、恐懼其實都是源自於「外在」的目光，我們擔心別人怎麼看我、擔心對方會如何評價我們，於是為自己設下許多限制。但這些真的是你需要的嗎？配合這些會讓你覺得喜悅嗎？如果都不會，那這些對你而言就沒有存在的必要。

的確，每個第一步都不容易，但正因為每一步都需要很大的決心，就更該珍惜這樣的努力，再為自己多做一些什麼。下次聽演講的時候，往前坐吧，然後也為自己設定一個小挑戰，當然一定是自己不會感覺太大的壓力，能覺得有趣的。全力去挑戰，期待你能享受那個過程並有所獲得。

擁有相同的感受才能引起共鳴，
所有的感動都需要感受來觸動。

先感受，才能營造感動

經過清理與練習，去除人生中不必要的添加物，相信你愈來愈了解自己真實的樣子，也對自己的感受愈來愈清晰，能清楚明白自己真正喜歡什麼、哪些行動能讓你充滿熱情。到了這一步，你已經充分了解自己的特質，也成為一個優秀的接收者，下一步，就是成為優秀的傳遞者。

首先回想一下，你接收到哪些訊息最能感動你？是冷冰冰的陳述，還是投入個人情感的故事？請記得，擁有相同的感受才能引起共鳴，所有的感動都需要感受來觸動。所以，就表現出你最真實的感受就好，說出你最真實的感覺，不要等待內心審核通過才開口說。

「從今以後你想做什麼？」
「運用你的能力你想為世界做些什麼？」
「你想創造什麼樣的未來？」

先以自己為對象，把自己當成聽眾反覆地調整自己的想法或理念。這個步驟能幫助你歸納與整理，也將初始的想法淬煉地更縝密，讓你更有勇氣採取行動。

說出來，就有力量

接下來，可以和大家分享你的想法，別管對方聽了會有什麼評價。我知道對多數人來說，說出真實的想法是件困難的事，那麼就降低門檻，先從與親友分享開始。找個讓你最舒服、最沒有壓力的人練習，等到能毫無負擔地對親友說出自己的目標，再挑戰和更多人分享你的目標。

當你能把內心的追求真誠地說出來，一定能吸引到認同這個想法的人，就能聚集更大的能量，也累積更大的影響力，往你的目標更前進一步。

成為更好的自己，
不需要徹底改頭換面，
只要每天一點一點
用自己最舒適的方式微調。

自在，就是最佳表達方式

在前言中我介紹過麻理惠，她其實是很害羞、內向的人，連和陌生人說話都會臉紅，所以她一直在尋找能舒適地與世界溝通的方式，後來她找到最適合自己傳遞理念的管道，就是寫作。

她本來就很喜歡閱讀也喜歡寫作，所以在她出版《令人怦然心動的人生整理魔法》時，多數人覺得很痛苦的校對工作，她卻做得很開心，她幾乎每晚都在看稿，一遍又一遍地修潤語意、措辭，並且想像著讀者到這段話的感受再加以調整。

不過，隨著社群媒體興起，比起文字大眾看短片的時間遠超過文字，麻理惠也看見了這樣的趨勢，但她深知自己不擅長在鏡頭前說話。於是開始觀察哪些社群網站上的表達方式，是多數人喜歡的，慢慢地她歸納出有照片的文章會比純文字的瀏覽率高；影片的功能比起單向的回答或制式的內容，讀者更喜歡能互動的方式。接著，她改變發文的形式，然後用自己不排斥的方式挑戰透過直播與讀者交流，她為自己設定只直播十五分鐘，試過一次後發現，不但不會覺得很有壓力，反而滿有趣的，也可以聽到很多以前沒有想過的收納問題，這都成為她精進整理技術的養分。

從主流中找到與真實自我最接近的途徑

當你想要突破自我時，也可以像麻理惠一樣，不用刻意或強迫自己一定要做什麼，或定下很高的門檻要求自己一定要做到，先研究或與別人討論看看，大家都是怎麼做的，其中有自己可以接受、不會太抗拒的方法嗎？試著做做看，如果真的不適合果斷放棄也沒關係，一定會找到適合你又能達到目標的方法。

如果你也不擅長在群眾面前說話，看到鏡頭就會緊張，那你也可以試著去找別的溝通管道，例如擅長畫畫的人可以透過繪圖加上聲音製作成短片，如果你不喜歡露臉，也可以透過只分享聲音。當你找到適合自己的方式，一邊做一邊調整，漸漸就能做出成績，這會帶給你自信並勇於挑戰更多，你會親眼見證自己的進步。最重要的是，千萬不要勉強，舒適的環境才能孕育出自在發光的自己。

磨練自己的感受力，
從轉貼喜愛的文章開始。

展現自我，從分享開始

「我不太會說話，也對寫作沒自信，還有什麼方式能展現自我嗎？」如果你也有這樣的煩惱，別擔心我還有個方法。

首先，選一個你覺得比較有興趣的社群平台，創一個帳號，建議用本名。一開始先關注你覺得有意思的人或粉專就好，任何內容都沒有關係，只要是你覺得有趣、值得分享的內容都可以。唯一要注意的是留意訊息中的惡意，如果是帶有惡意、攻擊和太過負面的內容建議不要關注。

接著，對認同的發文就按下喜歡，恭喜你已經進入表現自我的初級班。這就是社群平台的魅力，不需要很會說話，也不必很會寫文章，任何人都可以透過這個管道抒發感受，練習說出真實的想法並磨練感受。

當你分享一件與對方相關的訊息，
就會慢慢熟悉起來，
透過累積的共同感受，
關係就會愈來愈深刻。

別錯過連結的機會

你有在社群平台上@過某個人嗎？@的功能是能夠讓對方注意到這篇發文。我建議大家至少試試看在轉發文章或發文的時候，@一位你認同的名人。聽到這個建議很多人可能會覺得太瘋狂了，真的可以這樣做嗎？其實，人和人的連結都是從這樣開始的。當你分享一件與對方相關的訊息，就會慢慢熟悉起來，透過累積的共同感受，關係就會愈來愈深刻。

在還沒有網路之前，我們與作家溝通的管道，只能寫信去出版社，或等對方出書才能報名參加分享會，有些作家偶爾也會有付費的講座等。但現在拜網路所賜，我們可以動動手指就能與作家互動、交流，創造任何可能，請務必把握這個機會，任何人都能與景仰的人產生連結。

如果想要撕掉不屬於你的標籤，
最好的方式就是去實踐，
在達到目標前絕不放棄。

注意該行動的訊號

發送出訊息時，一定也有撞到牆的時候。當你真心說出自己真實的想法，「我想辭掉現在的工作去海外讀書」、「我不想找工作我想創業」、「我決定要當網紅」，相信大部分的人都會支持你，但也可能遇到出於擔心而阻止你的聲音：「這樣太衝動了吧，你再考慮一下」、「別傻了，這樣怎麼養活自己」、「太天真了吧，你根本就不適合」聽到負面的回饋時，很多人好不容易下定的決心會一下子消失，又退回猶豫的狀態。

但實際上，遇到這樣的反饋時，就是你該移動的訊號。聽起來好像有點瘋狂，你可能會想，「大家都說不要做還去做不是自找苦吃嗎？」不過，他們都不是你，就算是親近的朋友、家人甚至伴侶，他們都不會比你更了解真實的你，他們只能從過去的你評斷你未來要做的事，但不會了解現在的你做了哪些準備、下了多大的決心。人們往往會選擇相信自己的經驗，所以他們也只是憑藉自己的經驗給你建議。

撕掉標籤最有效的方法

如果想要脫掉這樣的標籤，最好的方式就是去實踐，在達到目標前不要受到他人影響而放棄。就像麻理惠決定把「整理」變成自己的事業時，周遭的人都對她說：「這不可能拉，放棄吧。」畢竟這已經超過常人的理解範圍了，但事實證明這並非全然不可能。

她雖然掙扎過，卻沒有放棄去尋找機會，一點一點地累積，最後達成了這個願望。這不會是個速成的過程，但即使是負面的反饋，也可以試著找出其中有價值的部分，例如練習捨棄那些令你不快樂的建議，也是一種價值。當然，你如果無法在身邊找到認同你的人，也可以把你的想法放到網路上，一定會吸引到真正支持你的人，一定會有人對你的決定按下「喜歡」，一定會有一個世界，需要你的特質與力量。

留意生命對你的呼喚，
重要的訊息都在日常中。

一閃而過的念頭，可能就是人生進階的契機

很多時候我們會覺得人生毫無選擇，無論怎麼努力，當大浪打過來時往往只能隨波逐流，努力活下去。如果你也這樣想，我想提供你另一個選擇：乘風破浪前進吧。

我和麻理惠剛到美國活動時的生活非常疲憊，因為我們需要經常往返日本與美國。在某一天的晚上，我和麻理惠獲得短暫的休息時間，我們在咖啡廳裡喝咖啡，兩人都累到說不出話，突然我看見咖啡廳的牆上貼著一張屋久島的海報。我就跟麻理惠說：「我有一天一定會去這裡。」隔天，我朋友來找我，第一句話就告訴我：「我剛從屋久島回來，帶了伴手禮給你。」後來我們一起去餐廳吃飯，又在餐廳裡看到另一張屋久島的海報，回到家後，我收到我之前下訂的商

品，打開包裹看居然是《屋久島的呢喃》的專輯，我覺得這就是命運了，就是屋久島在呼喚我。於是我排開了行程，一週後和麻理惠前往屋久島。

順應感覺，就能走出迷惘

屋久島又稱為雨島，這裡幾乎每天都在下雨，而且我們到訪的時間剛好是颱風季。但沒想到我們到的那幾天，島上意外地放晴了，讓我們度過了很舒適的假期。在島上的最後一天，我們在一間餐廳吃飯，聊著聊著又聊到移民的問題，但依舊卡在「英文」的問題上。我們都覺得自己的英文很差，不可能在美國生活，但隨著在美國的活動愈來愈多，往返日本實在太累了，也浪費時間與體力，可是一想到要在全英語的環境中生活，就頓失勇氣，於是這個決定就一直擱置在我們的心裡。

後來我們在餐廳看到一個女服務生和外國客人流利地用英文溝通，還有說有笑，這讓我們更泄氣了，覺得至少要到那個水準才可能考慮移民。

雖然如此，但移民的念頭從那個晚上開始不再只是考慮，而是決定。就像屋久島的呼喚一樣，我認為那個晚上也是美國的呼喚。因此就以那個晚上為起點，我改變了自己的想法，不再隨波逐流，而是選擇乘風破浪，開始學英文並為移民做準備。

當你全心前往想去的地方，
你的直覺也會帶你找到資源，
達到目標。

和直覺成為夥伴

我剛移民到美國時發生了一件讓我很感動的事。有個很久沒有交集的朋友突然與我聯絡，他跟我說：「川原，我決定回美國了，離開前我想和你見一面。」後來才知道他後天就要出發，所以我們也只能匆匆見上一面，沒想到他後來成為我們在美國生活很重要的貴人。

他雖然是日本人，但他從小在美國長大，後來到日本讀書和我是大學同學，畢業後他在日本知名的證券公司工作，為了再進修而回美國念書，唸書的期間他也在美國從事創投的相關的工作，很熟悉美國的創投和商業環境。

因此當時到美國時，我主動聯繫他，但我也知道他很忙，不見得馬上就能見面。沒想到，他接到電話二話不說就跟我見面，後來還給我許多創業的建議，對我們有很大的幫助。

從決定移民美國到聯絡他，都是出於直覺的反應，而我很感謝我聽從自己的直覺。這讓我體悟到，其實人生一路走來累積的資產早已足夠我們使用，就端看我們如何運用而已，重點是相信自己的直覺，你全心前往你想去的地方，你的直覺也會帶你找到資源，達到目標。

肯定自我的祕訣

1. 練習展現自我，就從追蹤欣賞、感興趣的人或粉絲專頁開始。
2. 參加一場付費的講座或研討會。
3. 參加演講時，挑戰坐在第一排。
4. 試著在問答時間問一個問題。
5. 找尋自己負擔最小的表達方式。
6. 在網路上練習自己可以做到的表達方式。
7. 先練習成為好的接收者。
8. 轉分享你也認同的文章，留下一段感受。
9. 和朋友分享你真實的想法並實踐它。
10. 練習相信直覺，它會帶你尋找到你需要的資源。

CHAPTER

4

營造環境

為自己的才能，
找到最適合的土壤

與不適合自己的事物相處，
怎麼樣都無法激發出正向的火花。

改變環境的五步驟

到了這裡，其實已經完成「成為自己」的行動，接下來，為了守護最真實的自己，希望你能用兩週的時間，重複以下的循環：

1. 了解自己真正的感受（自我探尋）
2. 離開不適合自己的環境（整理）
3. 往能夠展現自我的環境移動（擴張）
4. 發揮自己的價值（積極展現）
5. 離開熟悉的環境（挑戰）

建議花兩週的時間，把重心放在自己身上。觀察自己的需求、自己的感覺，提高自己的感受力。

這段時間可以問問自己：「真的喜歡這個東西嗎？」「真的認同這個想法嗎？」「真心討厭這個對象到完全不想見面了？」

試著好好感受，好好體會每個情緒的變化。

半途而廢的必要

很多人會卡在第二步，通常我們會把放棄定義為失敗，而多數人無法接受自己的失敗，加上社會價值鼓勵堅持，厭惡半途而廢。但離開不等於放棄，而是為了清除那些與現在的自己不相符的人事物和環境。前面提到的，與不適合自己的事物相處，怎麼樣都無法激發出正向的火花。與討厭的人相處，怎樣都結不出良善的緣分。當你過度努力地營造某一種生活意象，其實都是在自我消耗，而非累積。

果斷放下吧，包含過去的努力。為自己啟動新的循環，就像麻理惠一樣，雖然到了全新的環境，一切都要從頭開始，但當你做的是自己喜歡的事，不斷見證自己創造的價值，相信你會更投入其中，也更喜歡這個真實的自己。

如果你覺得現在的人生活錯了，
不是你想要的樣子，
那就從現在開始改變，
反正最壞也不過如此了，對吧？

當你知道生活的底線，就能大膽前進

這是我很尊敬的友人四角大輔教我的事。四角是一位作家，也是很知名的唱片製作人，他在大家開始居家辦公時，早已經實踐「不受場所限制的工作法」。目前他住在紐西蘭的湖畔別墅，過著半自己自足的生活，他說這樣能減少日常開支。

當我聽到他的生活近況，我覺得非常神奇，怎麼可以這麼灑脫，然後他就告訴我：「當你知道生活的底線是什麼，就能無所畏懼地做出決定。」當時，我其實不太懂他的意思。

他看我似懂非懂，於是接著與我分享他生活的底線，他說：「我只需要釣竿、書和背包就夠了。」聽完除了崇拜之外，忍不住也想要吐槽：「這底線也太低了吧。」

生活很糟，就從這刻開始好好活

我也曾在分租公寓生活，在那裡生活的期間，我大部分的薪水都花在交際應酬上，老實說身上沒有太多存款，也覺得看不到未來，那時候覺得人生沒什麼值得期待的。

但麻理惠告訴我：「如果你不滿意現在的人生，一切都不是你想要的樣子，那就從現在開始改變，反正最壞也不過如此了對吧？如果不知道從哪裡開始，就從整理房間開始，不會整理的話可以來找我上課。」這段話對當時的我來說，真的非常有幫助，雖然這段對話似乎隱藏著招生的意圖。

其實決定改變的那一刻是最需要勇氣的，而那決心往往來自於你對自己的了解程度。

如果你也害怕改變，不知道從哪裡開始，也許也想像一下自己生活的底線在哪？有哪些是人生必要的物品。然後開始整理房間吧。當你清掉那些人生中非必要的責任、追求以及目標時，你會發現生活其實不難，一切都正在慢慢好起來。

（建議搭配書末自我檢查表的練習十四。）

我們會不斷改變，
環境也會不斷改變，
如果我們不改變時，
環境就會改變我們，
你就不會再是真實的你。

用微挑戰迎接改變

前面一直提到，我們要找到自己舒適的環境。我想一定會有很多人在心裡嘀咕，這也太縱容自己了。實際上，這是一種暖身的概念。當你儲備好能量，才能前往不太舒服的環境，展開新的挑戰，所以千萬別在不適合的環境裡磨耗自己的能量。

但這裡的不舒適，建議不要是完全脫離舒適，全新未知的狀況。就像我們移民美國，也是已經在美國活動一段時間後的嘗試，如果真的要到全新未知的領域，我們應該會直接移民非洲，但我很難想像那是什麼景況。

為什麼需要挑戰不舒適？因為人不可能永遠不改變。我們會不斷改變，環境也會不斷改變，如果我們不改變時，環境就會改變我們，然後你就不會再是真實的你。

克服羞愧，必有獎賞

我每次參加經理人的研討會或是交流會時，都會覺得不太自在，手心瘋狂冒汗。因為在場的每個人都很優秀，但只有我看起來這麼平凡，這時候如果有地洞我會毫不猶豫地鑽進去。

那個當下，的確讓人不太舒適，但那並不是我完全不喜歡的環境，我喜歡和大家分享我的理念，分享我做的事有什麼樣的價值，可以如何改變世界。每當這麼想，我就能待在會場上，完成我那天的挑戰。

其實，每個成功的人都是這樣走過來的，他們之所以能侃侃而談自己的過去，正是因為已經過去了，而不是他們不曾感到羞愧。在遭受挫折的當下，再厲害的人物也都會經歷一樣的痛苦、糾結與打擊。能接住這樣的情緒，慢慢地消化後再做出正確的行動，這樣的過程的確需要無比的勇氣和決心。而對於鼓起勇氣克服羞恥的人來說，肯定有獎勵正在等待，為什麼我能這麼肯定，因為我就是這樣走過來的。

（建議搭配書末自我檢查表的練習十二、十三。）

站在人群中的影響力，
遠超過追求巔峰能創造的價值。

站上巔峰能感到喜悅嗎？

世界上真的能認清自己價值的人有多少呢？應該不到一％吧。能登上頂尖的人又有多少？大概也只有一％。但登上頂尖的目的是什麼？是你的行動獲得肯定，但你真的需要這些肯定嗎？

就像麻理惠雖然登上了國際舞台，甚至踏上了葛萊美獎的紅地毯，但典禮過後她就有什麼改變嗎？她還是在做她喜歡的事「整理」。她整理自己的環境，也幫別人整理環境，唯一的差別可是有更多人來找她，就能做更多她喜歡的事。

如果你希望的是透過你的行動，能為更多人帶來幫助，創造更大的價值，那麼你現在就可以採取行動了。

樂在改變並持續成長，
和勉強自己配合別人的世故，
是截然不同的兩件事。

你喜歡現在的自己嗎？

踮起腳尖伸長雙隻手，拚命學習努力，同時和見識更廣的人交往，這是慢慢往新環境移動的方法之一。習慣這樣的新環境後，自己一直以來的判斷基準就會有所改變。

我辭掉工作後愈來愈常和經營者往來，思考的方式也受到影響，判斷的基準就完全不同了。透過和經營者夥伴們的交流，我開始會去思考，我們的公司對社會對世界能有什麼幫助。

工作時我也不再只是遵守公司或主管要求的最後期限，而是開始自己決定期限。自己決定，開拓自己的未來。我愈來愈肯定，「自己的未來就是過去自己決策的結果」。

選擇的自由，一直都在你身上

我對金錢的看法也不同了。錢不一定要是自己賺來的，也可以接受別人的投資。如果你的點子或挑戰有吸引人投資的魅力，一定會有人願意支援你。所以如果有時間抱怨「沒有錢」，不如立刻開始進行獨一無二的挑戰。這麼一來，你自然會遇到覺得這個挑戰很有趣的人，願意幫助你。但是能決定要不要挑戰的人，只有你自己，所以更需要移動到能提升自己的場所。

當我周遭進行有趣挑戰的夥伴愈來愈多，我內心對於挑戰的接受度也愈來愈高，在尚未創業前總被質疑「太有想法了」的言行，同伴也能二話不說地接受了，真的很高興。即使有過去連想都不敢想的大型專案找上門，自己也可以不為所動。等到你真的有這種感受時，那就是你思考方式、判斷基準升級的證據，表示你又進化了，應該為自己喝采。

我希望大家能持續檢視自己真實的感受，確認自我是不是真心的為那種變化感到快樂。樂在改變並成長，和勉強自己配合別人的行動，可能都會使你改變，但對你的人生會產生截然不同的影響。如果你覺得自己現在是後者，建議你重新面對自己，和自己再次對話。

想法的價值，
需要行動去兑現。

嘗試就能創造價值

選擇創業時，就是我把自己丟到一個令人不太舒服的環境。過去只要聽老闆的指令辦事，配合交辦下來的指令和截止日期行動。當我自己創業時，日程要自己安排，沒做到不會有人責備，但就沒有進帳。隨著環境改變，我開始慢慢轉變心態和思維，我並沒有刻意學習，就是自然而然做出的變化。

除此之外，我也得到了以往不曾想過的機會。以前在工作時，提出想法然後執行，但我從來沒有思考過這些其實都是有價值的。後來開始創業，當我跟別人分享我的想法時，他們覺得很有意思，有不少朋友甚至會投資我。那時我才真實地感覺到，一切都是有價值的。我擁有的技術和經驗，甚至比金錢更有價值。

勉強來的人際關係只會消耗你的能量，
無法產生正向的結果。

脫下盔甲

「怎麼樣才能認識和我價值觀相同的朋友？」去演講時我經常聽到這樣的問題，我的回答通常是：「脫光光吧。」

當然不是要你真的脫光，而是指請你卸下所有的盔甲，展現出你最真實的樣子。你的感受是什麼，你的想法是什麼，你對這件事產生的見解是什麼，大方說出自己想像，才能透過感受與他人的感受連結，產生強大的共感。

找尋自我是個很重要的過程，這個過程若能有可靠的夥伴，會讓你在挑戰不舒適時，能夠更有能量和依靠。

我們在認識新朋友時，通常會盡可能美化自己，或是為了尋求共同點而壓抑自己真實的樣貌，但相信我，這只會帶來反效果，因為人無法永遠的偽裝，也無法永遠的壓抑自己。如果那些缺點、短處真的令你感到困擾，那就試著整理它，不做什麼的時候，那些特質就會消失？或去做什麼的時候，你就會呈現自己喜歡的樣子，試著往這個方向前進。

不美化，不勉強

那如果對方拒絕了怎麼辦？那可能表示你們真的不適合彼此，勉強來的人際關係只會消耗你的能量，無法產生正向的結果，勇敢地展現自己，如果你真的不喜歡毫無遮掩的樣子，至少換上一件輕便的外套，慢慢展露真實的自我。

其實，當我是上班族的時候，我穿著不合身的盔甲。我對自己沒有信心，也害怕向別人展示弱點。直到我搬到美國，我才真正赤身裸體，展現出最真實的樣貌。在與來自世界各地的名人、電影導演、音樂製作人等頂尖人物互動時，所有活躍在一線的人都是開放和坦率的。他們對我毫無防備，這讓我感到震驚。

後來我發現，這是成為專業人士的基本條件，因為他們只想透過自己的能力創造最大的價值，對方需要的也只是你的專業，而不會評論你是怎麼樣的人。當他願意分享專業時，才能收集到更大量的訊息，彼此切磋成長。並因此建立相互信任和工作的關係，創造出真正有創意的作品。

而且，坦率是會互相影響的。如果你也能對他人坦誠，別人也會愈來愈對你敞開心胸，這也是自己可以創造的價值之一。

當你說的是真實的經歷，
沒有人會質疑你，
反而過度謙虛，
才會讓人覺得虛偽。

舉手就能脫穎而出

如果有機會移動到一個新環境，你一定會獲得前所未有的收獲。而把握機會的方式也非常簡單，就是無論如何先舉手。

「我可以！」、「我做得到！」先說出這樣的話，就能帶給你無比的自信。來到美國後，我經常聽到合作夥伴對我說「亞洲人就是太謙虛了。」但這句話不是讚美。我總是在擔心身邊的人對我的評價，尤其很多時候都是第一次見面的人，我怕說太多自己做過的事會被認為太自傲，所以總是會想少說一點。後來我發現，當你說的是真實的經歷，沒有人會質疑你，反而過度的謙虛才會讓人覺得虛偽。所以別想太多，勇敢舉手，展現真實的自我。

人本來就有擅長的事和不擅長的事，
不需要勉強自己做超過負荷的事，
也不需要將事情交給別人覺得罪惡，
因為每個人都能發揮價值時，
就是最棒的環境。

凡事親力親為，是在浪費天賦

如果你對於「只做自己喜歡的事」會感到不安，我想傳授一個祕訣給你，去尋找能互補的夥伴。為了讓自己能不勉強地去做自己適合的事，你需要一個同伴來幫助你解決不太擅長的事，以及你必須要做的事。

有些人可能會有罪惡感，覺得「我不想做的事卻交給別人做，這樣不是推卸責任嗎？」完全不用擔心這件事。因為每個人都有強項和弱項，可能你不擅長的事剛好就是別人的強項，讓對方做他喜歡的事，對方可能還會感謝你。

就像我和麻理惠一樣，她超擅長整理也喜歡寫文字。而我更擅長與人溝通和組織管理，我們各自負責各自擅長的事，也組織團隊來做我們不太擅長的工作，例如剪輯影片、法務等，讓我們可以專心致力於自己的強項，在我們的位置發光。

凡事自己來，也是剝奪他人發光的機會

我記得我們剛成立公司時，麻理惠與我一起打理公司事務，但她不太熟悉組織運作，某次我們約了一個客戶來公司開會，我們那時候沒有會議室，就是只有簡單的長桌和白板，結果麻理惠在長桌上鋪上桌巾，準備了很多餅乾茶點，我帶客戶回來時，我們都被眼前的景象震撼，這儼然是午茶聚會的布置。對方還幽默地說：「所以，有紅茶嗎？」當時的場面真的很搞笑，但隨即我們也訂下會議流程和會議室的布置規範，不再搞午茶約會和會議。

人本來就有擅長的事和不擅長的事，不需要勉強自己做超過負荷的事，也不需要將事情交給別人覺得罪惡，因為每個人都能發揮價值時，就是最棒的環境。

有些人很怕麻煩別人，所以不管自己忙不忙，擅不擅長，能自己做絕對不讓別人插手，但其實這也是在剝奪他人發光的機會。上天賜給我們不同的特質，就是要讓我們能夠發揮不同的價值，進而創造更大的成果。下次遇到不擅長的事，練習交給更擅長的人吧。

Be Yourself

如果你能透過工作成就更好的自己，
就算只是進步一%，
也比為了工作而工作深具價值。

你做的每件事，都是為了成就自己

有相同的目標，相信達成目標時能讓世界變得更美好。若能擁有這樣的夥伴，是你這輩子最大的福氣。不需要仰賴「拜託、受託」「聘僱、受僱」的關係，所有人都把事情當成自己的事，往往能產出驚人的能量。

我認為最強的團隊，就是所有人都能「展露真實」的狀態。製作麻理惠麻理惠小姐節目的 Netflix 團隊，所有成員都相信整理的價值，而且隨著拍攝次數增加，他們的信念也更為堅定。

有一天錄影時，負責音響的工作人員跑來跟我說「嗨！卓巳，我希望你來看一下這個」。他拿出來的的手機螢幕上是他家的照片。仔細看了一下，發現拍的是一個整理得很乾淨的抽屜。他笑容滿面的跟我分享，「我用麥克風幫麻理惠麻理惠小姐收音，聽著聽著自己突然也很想試試怦然心動法。上週末我試了一下，結果我太太好高興！」

能讓你忘記在工作，就是最棒的工作

正因為所有成員都把整理的魔法融入自己的人生，這個節目才能傳遞傳達出打動觀眾的訊息，成為當年度 Netflix「全球收視率最高的實境節目」。

遇到一群對麻理惠創造的價值產生共鳴，並能在這個價值上各自乘上自己長處的夥伴，大家一起受到震撼而製作拍攝出的節目。所以才能如此成功。現在想來這是必然的結果。因為團隊中的所有人都深信麻理惠的理念，當團隊有共同信念時，創造出來的成果絕對相當驚人。

多數人工作的出發點是為了錢，為了在公司待滿九小時而逼迫自己坐在辦公桌前。但這樣的工作除了帶來穩定的薪資，其實沒辦法提供你更多的資源和成長，如果你也正處在這樣的狀態，建議你務必用本書的方法，思考自己接下來的方向，如果感到一絲勉強，練習放下吧，放下你過去的累積和努力。因為這表示你需要更遼闊的地方，更有趣的環境。

蒐集能力者，
交換專業創造專屬自己的最佳團隊。

為自己組建後援隊

實際上，我們從生活到工作，處處都需要他人協助。尤其當我們需要成為自己，為自己打造只做喜歡做的事的環境時，更需要擁有團隊。

就像組建家庭，夫妻和子女如果能互補互助，整個家就會很和樂；就像在生活中的各種互助隊，大家拿出擅長的能力，例如社區的巡邏隊，有些人有時間巡邏，有些人擅長記錄，有些人擅長溝通，有些人很懂得管理規範或管理財務等，每個人都負責自己擅長的事，就能打造很棒的團隊。

像我就有一群很棒的朋友，我們平常會一起玩樂，在工作上需要彼此的專業支援時，也會毫不猶豫地幫忙，因為大家都是很有能力的人，合作起來也很放心。你也有這樣的朋友嗎？如果還沒有你的團隊，現在去找吧。

個人特質互相輝映，
才能創造出更高的價值。

保有自我的團隊最強大

無法保有自我的團隊，就只是在榨取你的能力，不可能帶來成長。世界每分每秒都在改變，未來將是專業合作的世界，雇用的制度可能會慢慢消失。因此，若沒有個人特質、缺乏專業，就很難與他人共事。所以千萬不要隨意放棄你的特質。

我很珍惜每個夥伴的個人特質，因為這些個人特質互相輝映，才能創造出更高的價值，如果大家都失去了自我，為了麻理惠而犧牲自己，那絕對無法推出令人感動的作品，只能推出一個一個的複製品而已，麻理惠也就無法成為現在的她了，我很感謝也很高興能與這麼棒的夥伴一起成長。

尋求幫助時不用加油添醋，
或想用什麼話術驅動對方，
展現最真實的自己就是最大的誠意。

練習說「我需要幫忙」

如果你有遠大的目標，沒辦法一個人完成時，就一定會需要別人的協助，但求助這件事對許多人來說都很難，因為太害怕被拒絕。其實，求助時不用花俏的話術，只要留意三個要點：

- 我想要達成什麼目標（目標）。
- 我可以做這些事，但某個部分我做不到（自己的能力與不足）。
- 我需要你幫我做什麼（需要哪些具體的協助）。

以我自己為例，我的目標是想創造一個每個人都能表現自我的社會，希望能透過書寫展現自己的理念，並提供一套寫作練習的工具，透過自學的方式也能達成精準傳達訊息的目標。

我在尋求協助時，就可以這樣表達：

- 我想要創造一個每個人都能透過寫作展現自我的平台。
- 我想提供大家一套寫作練習的工具，透過自學的方式提升文字表達能力，但我只有構想，我需要有人幫我設計這套線上工具。
- 因此我需要有程式設計能力的人，而且這套工具需要定期維護，所以希望是能設計成可以擴充的系統。

像這樣有條列地說清楚自己的需求，對方也能評估自己的能力是否能幫得上忙，在合作階段也能減少溝通不良的狀況。

能真誠表達的溝通方式

此外，說話的口氣也很重要，如果你很積極可能會嚇跑對方，太冷淡也可能被質疑決心。所以在陳述時也要注意不要太激動，真誠地說出想法和當下的感受就好，不用加油添醋或想用什麼話術驅動對方，展現最真實的自己就是最大的誠意，對方也會有所感動。

給予剛剛好的幫助，
才能持續做個幫助他人的人。

注意過度給予

我們都知道如果只是想要得到，不可能打造屬於自己的團隊。你也必須拿出相應的專業來，或是提供回饋。例如為對方空出一段時間，提供對方專業上的建議等，這個都是很棒的付出。

不過，也要注意過度給予。如果你總是在別人提出需求後，就努力去做、全力幫忙，小心可能會耗盡自我，這也是我過去曾經犯過的錯。

我以前總是認為，付出一定會有回報，對於任何人來尋求幫忙，我總是盡自己所能去幫忙，而且會超過對方期待的給予，我對麻理惠也是這樣。後來我才發現，其實這樣會帶給她很大的壓力，而且限制了她的發展。

為此我找時間與她好好聊一聊，她也談白地對我說，這的確讓她很有負擔。我才意識到，好的給予應該是剛剛好就好，過度的給予反而會讓對方感到不舒服，這樣的幫助就沒有幫到任何人。

先詢問，再給予

我也觀察麻理惠給予他人協助的方式，我發現她會先詢問對方的需求，觀察對方的行動，然後評估自己能幫上什麼忙，所以她總是能給予的恰到好處，不會造成他人的負擔，也不會讓人感覺冷漠。

於是我也開始練習這種方式。

這樣做不只能幫助他人，也幫助了我自己，在過度給予的時候，我也過度地消耗自己的能量，其實不只為他人帶來負擔，對自己而也也是很大的壓力。我總是付出太多，但沒有察覺已經超出自己能負荷的範圍，每次助人的快樂，都會在不斷的消耗中漸漸流逝，最後只剩下龐大的空虛。所以調整自己的腳步，觀察他人的需求和能力極限，做出剛剛好的幫助，才能持續幫助他人。

我相信所有的幫助都是出自善意，但就如我一再強調，若這麼做無法感受到喜悅或感到勉強，請務必停下行動，這才是對彼此都好的方式。

你唯一的目的地，
就是找到能盡情
展露自我的場域。

一定有個地方，能接納全部的你

以前不過是一個很普通不起眼的人，有一天突然被大人物發掘，成為無人不知無人不曉的大人物。他展露的才能，讓認識他的人都驚訝萬分，「咦?你說的是那個人嗎？」這種灰姑娘般的故事，出現在現代社會的各個角落。

舉例來說，二〇二〇年爆紅的作家岸田奈美小姐就是一例。

她原本只是一般公司的上班族，她將自己和智能障礙的弟弟、坐輪椅的媽媽三個人的生活，寫成散文，發表在個人部落格網站「note」上，結果一躍成名。

糸井重里先生等知名創作人先發現「這個人很有趣！」然後在編輯佐渡島庸平先生帶領下，開始展開她的作家人生。

她總是很快樂地擬定並實行獨特的企畫，讓看到她的人都感受到相同的喜悅。最近她更透過傳遞傳達活動，開始支援身障者就業，而且做得很開心又有成就感。她與生俱來讓周遭人幸福、感到喜悅的才能。

持續移動，直到找到你的場所為止

岸田小姐為什麼可以好像變了一個人似的？

我認為她其實沒有改變。不過是把自己原有的魅力發揮出來而已。在網路社群這個舞台上她展現出不經修飾、最原始的自我。

在被別人發現前，她就已經自己起而行了。我不知道她有沒有意識到，但我想，她潛意識裡應該有這樣的想法：「在這裡我一定可以遇到，願意相信我、真心認同我的某個人」。

再怎麼有趣、充滿魅力，如果只是什麼都不做靜靜地等待，不會有人發現你的存在，這世界上有趣的事太多了，人們的注意力又這麼的有限。因此，如果你需要舞台，與其等別人為自己搭一個，不如打造一個屬於自己的舞台。

所以，動起來！動起來！動起來之後如果覺得「好像都沒人發現我耶」，那就到另一個場所去試試，總有一天一定可以遇見欣賞你原始魅力的人。

成為自己與年齡無關，
而是你願不願意而已。

任何年齡都可以找回自己

成為自己與年齡無關，任何年齡都不嫌晚。

你如果有玩社群平台，你一定看過不少頂著滿頭白髮，臉上盡是歲月痕跡的網紅，這些網紅爺爺、奶奶的人氣一點也不輸年輕人，也有上萬粉絲追隨。

像日本有著超高人氣的「時尚奶奶」，追蹤她的粉絲超過百萬人。她開始經營社群平台的原因，是某天她的孫子跟她分享 Instagram，她覺得上面有很多好看的照片很有趣，因此請孫子幫她申請帳號。

一開始她只是在上面看看逛逛，對喜歡的內容發送愛心，後來她也開始分享自己的穿搭，漸漸受到大家的喜愛，很多人在她的留言下方回覆「好好看喔，可以分享更多嗎？」「太時尚了」，這成為她持續發文的動力，也讓她找到能發揮自己強項的舞台。

如果滿頭白髮的奶奶都可以找到自己的特質，那四十歲、五十歲甚至更年輕的人，應該沒有什麼辦不到的吧？成為自己與年齡無關，而是你願不願意而已，準備好踏出第一步了嗎？

營造環境的祕訣

1. 追隨直覺去尋找適合自己的環境。
2. 寫下自己適合的環境。
3. 寫下自己生活的底線。
4. 組織自己的團隊，或加入適合的團隊。
5. 認識與自己互補的人。
6. 移動到微不適的環境。
7. 寫下自己在新環境中能創造的價值。
8. 全力爭取機會，勇於舉手。
9. 寫下五個你願意付出的人。
10. 主動向你的朋友尋求幫助。

CHAPTER

5

持續成長

接受當下的感受，
真實的你就是最好的你

讓「憑感覺」這件事
最後如同呼吸般自然，
就能好好地守護自我。

日常就是最棒的練習場

當感受變得敏銳，你有發現事情變得順遂了嗎？目標也變得愈來愈明確了嗎？如果有，恭喜你已經找到真實的自我，且發現了自己的價值，繼續練習一定能累積愈來愈多的正向回饋。

前面提到如果一直在熟悉的環境，感覺也會慢慢鈍化，時間一久可能又會回到原來的狀態。如果希望一直能擁有敏銳的感受去做決定，最好的方式就是在生活中有意識地練習。讓「憑感覺」這件事最後如同呼吸般自然，你就能好好地守護自我，自在地運用特質創造價值。

我知道生活中充滿挑戰，沒有挑戰的人生也很無趣。但不斷地挑戰，最後只會迷失自我，什麼都想試試看的人生，不是積極而是茫然。確立目標、不斷練習和累積，才能幫助你前往你真正渴望的地方，實踐你的目標。

若能忍受牆角的灰塵，就可能默許無理的行為

我和麻理惠每天都透過整理環境與自己對話，提醒自己活在當下，不要下意識地忍受任何不舒適的狀態，例如你能忍受牆角的灰塵，可能也下意識地忍受隔壁鄰居製造的噪音；你能忍受馬桶上的汙漬，可能也默默忍受同事的白目；如果你能忍受朋友間無聊的笑話，也可能會選擇無視主管對你的言語霸凌。透過整理環境為自己打造一個舒適的空間，也是在提醒自己，動手去清理那些讓你不舒服的事物，並練習如何將正確的事物，放在正確的位置上。

我們的日常「直覺修行」其實很簡單，說穿了就是不忍耐。例如受不了地上的紙屑，就立刻過去撿起來；覺得茶几上的水漬很礙眼，就立刻過去擦乾；聽到覺得不太舒服的發言，消化完情緒後溫和地提醒對方。就因為是日常瑣事，更適

合拿來練習。

接下來我將分享我自己如何在生活中練習，讓自己保持敏感的感受力，並且不偏離自我。

忍耐比努力更耗神，
如果能把忍耐的精力用在努力上，
你能做到的事一定更多。

穿上睡衣，好好休息

我成年後的第一件睡衣，是麻理惠送我的。那是一件絲綢的睡衣，摸起來非常光滑，穿在身上像沒有穿衣服一樣自在舒適。

我拿到禮物的時候很驚訝，因為我那時候沒有穿睡衣睡覺的習慣，我總是挑一件淘汰的T恤作為睡衣，麻理惠送我禮物的時候說：「充足的睡眠才能保持良好的狀態，穿上舒適的衣服才能真正地休息。」好好照顧自己，也是提升感受力的方法。穿上舒適合身的睡衣睡覺、用適合自己膚質的沐浴乳、吃自己身體需要的食物。這不只是善待自己，更是幫助你避開那些讓你過度消耗能量的事。

忍耐比努力更耗神，如果能把忍耐的精力用在努力上，你能做到的事一定更多。所以，把那些阻礙你發光的事物清理掉，你會發現原來自己如此耀眼。

過勞不是能力的表現也不是盡責，
只是還不了解自己，
不懂調配時間的訣竅。

早起，獨享整個宇宙

我每天都會比全家人早半個小時到一個小時起床。

為什麼要早起？因為那是我和宇宙獨處的時間。那時候沒有任何身分，我就是我自己而已。起床時，我會到書房把窗戶打開，讓微涼的空氣且清新的空氣灌注到室內，有時天還沒亮，幸運的時候可以看到日出，當看到地平線露出曙光，感覺像受到太陽的祝福，那種感動令人充滿力量，也提醒自己應該要為這個地球做些什麼，還可以做什麼為大家帶來幫助。

然後，我會坐在書桌前，檢查我今天的待辦事項，挑出最重要的五件事，其他的都用刪減法。過勞不是能力的表現也不是盡責，只是你還不了解自己，不懂調配時間的訣竅。所以我很注意自己的日程。

一天之內必須完成的工作太多，
反而拖垮效率，
疲勞就是成為真實自我的最大敵人。

一天最多做五件重要的事

打開窗戶呼吸外面的新鮮空氣後，我會檢查當天的行程表。

我會決定好重要的工作和想早些完成的工作的優先順序，並確認自己處理的順序。此時在編製工作清單時，我也會提醒自己注意「TO DO 會不會太多了？」這一點是關鍵。

如果一天之內必須完成的工作太多，就會超過身體負荷，反而會拖垮效率，疲勞就是做自己真實自我最大的敵人！所以我會盡量減少一天的工作量。

我規定自己一天處理的重要工作，最多不要超過五件。如果超過這個數量，就再調整時程，讓自己在體力與心態上保持彈性。

早上確認行程時，還有另外一個關鍵。也就是確認然怦然心動的均衡，添加一點能獎賞自己的樂趣在日程表中。

只有工作的行事曆，誰都想逃避

所謂「怦然心動的均衡」就是在安排日程時，除了一定要做的事，我也會安排一定要休息的時間。這也是我的充電時間，例如和寵物散步、打電動等，通常會安排在工作中間，為自己留下喘息的時間，才能走得更長遠。

我很喜歡自己運用休閒時間的創意，例如在休息時吃最喜歡的零食，也可以讀一篇自己喜歡的漫畫或看部電影，或是完全放空。也可以離開辦公室，到附近的公園去享受寫生的樂趣。

如果一般上班族，的確較難彈性運用自己的時間。但為自己留十分鐘，買杯咖啡也好，這十分鐘的切換對消除大腦疲勞相當有幫助。

從早到晚除了工作還是工作，是不是覺得很累？看到行事曆上滿滿的行程，誰都會想要逃跑。工作的目的是為了獲得更好的生活，如果生活只剩下工作不就本末倒置了嗎？建議你事先準備好讓自己充電的怦然心動活動，還可以提升鬥志，請務必試試看。

在早餐前把重要的工作完成，
會讓一整天的壓力刪除一半。

重要的工作在早餐前完成

如果是很重要的工作，我會在早餐前完成。一來是因為這個時間沒有人打擾，二來我擔心如果一整天懸著這件事，也會影響自己的表現和決策。為了避免這種不舒適的感覺，我通常在安排玩日程後，就會開始做重要的工作。

有些工作不可能一時半刻內搞定，所以切出每日進度，和了解自己的能力所及很重要。為自己安排太多工作、太短的時間都會造成負擔，一定要特別注意這一點。

當我把最難的工作做完，其他的時候我都能平心靜氣地做事，效率就能提升不少。即使有緊急狀況發生，也能冷靜地決策，讓自己維持在舒適的狀態。

自己打掃自己的空間，
是照顧好自己的象徵。

騰出夫妻散步的時間

早餐是我和家人很重要的時間，通常我會在早餐前幫女兒們換衣服，然後一起吃早餐，在餐桌上女兒常和我分享她有趣的夢境，或是隨便聊聊一些異想天開的想法。

如果沒有在早餐前完成重要的工作，我就很難專心聽女兒分享她的故事，這會讓我很焦慮，也是促使我在早餐前完成工作的動力。和家人吃完早飯後，我會和麻理惠會一起送女兒去幼稚園，然後散步回家。

這也是我和麻理惠很難得的獨處時光。因為我們都不想把工作帶回家，但我們除了是夫妻也是事業夥伴，也有許多需要溝通的事，所以在這段散步時間就是我們的晨間會議。

家務時間，就是與自己的獨處時間

然後我們會回家一起整理家務，雖然說一起整理，其實我們各自有負責的區塊，屬於個人的就自己整理和安排，公共環境才一起整理。

對我們而言，自己打掃自己的空間，是照顧好自己的象徵，所以就算我們睡的是雙人床上，但也各自安排自己睡覺的位置，獨自收拾自己睡覺的地方。例如枕頭的擺法、棉被要怎麼摺等，在這段時間裡我經常與自己對話，並覺察自己與這個空間的互動，有哪裡可以更好嗎？有哪些地方是我一直以來忽略的嗎？這也是一種感受力的修煉。

現代人因為工作時間長，其實在家的時間很少，也可能選擇找居家服務員協助清理環境。雖然這不失是個維持環境整潔的方法，但我還是強烈建議要留一點時間，跟自己的空間好好相處。

很多人可能會因為工作繁忙而輕忽家事，其實這是我們每天可以與自己獨處最棒的時間，就算再忙，一天花五分鐘收拾桌面或摺好衣服、掃掃地，都是很棒的自我療癒時間。

當你感到疲憊，
將「再撐一下」換成「休息一下」吧。

午休很重要

就算是上班族，也建議中午一定要小睡一下，十分鐘也好。正因為工作強度高，更需要好好休息一下。這會影響你下午的工作效率。如果可以的話，建議睡覺還是要躺在床上，因為趴著其實無法讓身體好好的休息，也是讓身體忍耐一個不太舒服的狀態，如果真的沒辦法回到床上，也可以換張可以躺的辦公椅。

我自己也有午休的習慣，時間到了我也會回到床上去睡覺。還是上班族的時候，我一到中午就忍不住想睡覺，一開始我都忍著，但會忍不住打瞌睡，也讓我做事很沒有效率。後來我去找主管談，希望能找個地方睡午覺，我爭取到倉庫的一個小角落。而我開始正大光明的睡午覺後，我的效率反而提高許多，因此主管也沒有其他意見。如果你總覺得下午的效率低落，試著在午休時間休息一下。

每天下午給自己一段獎勵時間，
因為你值得。

下午從獎勵自己開始

午睡結束，睜開雙眼，精神抖擻。「那就趕快開始工作吧」你是不是以為我會這麼做這麼想的？你錯了。我下午做的第一件事，就是給自己獎勵賞時間。

早上起床後立刻先決定好「怦然心動的樂趣」，現在就是執行的時間了。

翻開自己想讀的書，刷刷社群軟體。有時我也會盯著最喜歡的雙人相聲影片一直看，在經過一連串很辛苦的討論，累到極點的時候，把自己置身在相聲的節奏中，據說可以讓大腦回到日常的節奏。

獎勵自己的時間大概是兩小時。

有人可能會替我擔心，大家都在忙的時候你還如此悠閒過得這麼放鬆，這樣可以嗎？

因為我一大早就已經完成當天最重要的任務，所以一點兒都沒有「我在偷懶」的罪惡感。

不只不覺得自己在偷懶，反而還會覺得自己正在努力收集對未來的自己有用的資訊。通常在獎勵時間我會：

- 閱讀和自己合拍的天線合頻道的書籍。
- 搜尋自己感興趣的話。
- 發訊息給想聯絡的朋友。
- 週間錄每天播出的 Voicy。
- 在推特上瀏覽一下全球的發文，試著把浮上腦海寫下自己湧現的想法寫下來，然後去發文。

對於我的工作，這些都是很重要的活動。

在身心都放鬆的狀態下盡情吸收的訊息，都可以化為製作人的創意、創造力和感性。

所以獎勵賞自己的時間對我來說，可是一點兒也馬虎不得的工作，因此我才要在一大早先完成重要的工作。

利用獎勵賞自己的時間為自己充電，然後完成下午的會議和討論、採訪，結束一天的業務。接下來的時間，我就會專注在家人身上，這對我來說是最自在的時間安排。

每天主動聯絡一位你珍惜的人。

親近的人更要好好說話

通常愈親近的人我們講話會愈隨便，可能因為是親近的人，覺得對方充分了解自己，所以說話就會不重視那麼多細節。

這件事也是我觀察麻理惠學來的。她不管是對熟悉或不熟悉的人，都會用敬語，講話的方式也都一樣客氣，不會因為親疏而改變說話的方式。例如她對熟識的朋友，還是用某某先生稱呼對方。

我曾經好奇地問她，這樣不會讓對方覺得自己太有禮貌，反而拉開彼此的距離嗎？但麻理惠告訴我，她認為親近的人反而應該說敬語，表示你非常的珍惜對方。所以，對初次見面的人用敬語是禮貌，但對熟人的敬語則是珍惜。我很喜歡這個概念，所以每次她用敬語跟我說話時，我都能感受到她的珍惜。

沒有人抗拒得了被放在心上的心意

麻理惠還有一個很可愛的習慣，她會主動打電話給她在乎的人。像我們每天都會通電話。

很多情侶剛開始再一起的時候每天都講好幾個小時的電話，後期就會慢慢變淡。但就算現在通訊軟體這麼發達，我們還是會每天講一通電話，她說這是她對我的重視。她也會定時打給她中珍惜的朋友和家人，雖然通話內容都很平凡，但那種心意的確很難透過文字傳達。

從旁觀察麻理惠照顧珍惜的人的心意，讓我深感慚愧。我雖然也很珍惜我的朋友和親人，但經常因為忙碌而疏於聯絡，其實這些都是沒有把這件事放在心上的藉口。如果你真的很在意一個人，再忙你都會把他告訴你的事放在心上，也會關心對方最近的狀況。就算只是五分鐘的電話，也足以告訴對方：你很重視他。

我從她的身上學到對於珍視的人，永遠都不需要隱藏自己的心意，那會讓人感受到無比的溫暖。你也有令你牽掛的人嗎？現在就打通電話給對方，你會發現，平淡無奇的對話也能溫暖彼此的心。

準備睡前儀式，
是對身體的感謝。

睡前伸展

麻理惠很重視睡眠，這一點也影響了我。我其實不是那麼重視睡眠的人，在認識她之前也不是早睡早起的人，甚至睡眠很混亂，經常為了工作熬夜或是整天沒睡。

但這樣其實只會造成生活混亂，大腦也會因此而變得鈍化，長期下來對身體或精神都毫無益處。

睡眠的確非常重要，所以為了能確保我們一夜好眠，除了會穿上舒適的睡衣，我們還會做睡前伸展，這也像在對身體說，謝謝你今天這麼辛苦，現在好好休息吧。另外，我們也會在睡前開啟擴香，透過放鬆精神的香氣，幫助自己完全的放鬆，舒適地進入夢鄉。

沒有縫隙，外頭的風就吹不進來。
沒有空白，容器就無法容納新東西。
把行程排得太緊湊，
就容易錯過天大的好機會。

八分滿的意識

你可能聽過「吃飯吃八分飽對身體最好」，這個概念也可以套用在經營人生上。

我的意思是不論是工作或玩樂，都不能一次塞太滿。要時時自我提醒，留下輕身的餘裕。

看看周遭的人，我一直這麼覺得。「忙死了忙死了」看起來一點都不從容的人們。忙碌當然可以讓自己過得很充實，可是這樣的生活相當可惜，因為許多真實感受會被忙碌稀釋。

對人來說，從容不迫很重要。沒有縫隙，外頭的風就吹不進來。沒有空白，容器就無法容納新東西。再怎麼努力想把新鮮的水倒進去，也只會流失。

所以請大家建立八分滿的意識，為自己留一點空白。

在擬定預定計劃時，要留下餘裕，覺得「好像有點空？要再加點什麼嗎？」這時候千萬不要再安排更多，因為這就是最剛好的安排。

整理日程，就能找到空白

根據我的經驗，大好的機會總是突然出現。

如果那個時候你說「咦？等一下」，機會稍縱即逝。所以最好永遠保持隨時可以立刻回作答的速度感。

我在安排擬定開會議預定時，原則上不用小時為單位，而是用四十五分鐘或三十分鐘為單位。因為我會用空下來的十五分鐘，回答一些緊急的洽詢，或整理自己的思緒。

而且把一小時的會議濃縮到四十五分鐘，並不是什那麼困難的事，反而能提升會議的效率。

建議大家練習在日常生活中，儘量留下縫隙。

如果你覺得已經忙到讓你連想做的事都做不了，根本毫無餘力去做別的事時，就回到第一章，從減法開始。

對那些在生活中無條件幫助你的人說聲謝謝吧。

珍惜那些能讓你成為自己的人

我們會感謝那些賞識你的人，欣賞你能力的人，或是推動你去接受挑戰的人，但我們更該感謝那些幫助你成為自己的人。

他們會在你忙於嘗試新事物並採取行動時，提醒你不要過度努力；或是在你壓力太大時，提醒你回頭關照自己；在你將錯待當成磨練時，提醒你世界還很大，不需要委屈自己，原來的你才是最好的你。請珍惜這樣的夥伴，因為我們在成長的過程可能會不斷遺失自己，很需要在重要的時候，能有個人幫我們找回自我、建立信心。

我和麻理惠對彼此而言就是這樣的存在。我很了解麻理惠的特質和專長，所以我會努力清除那些讓她感到負擔的工作，幫助她朝著目標前進。而麻理惠也常常在重要關頭，提醒我回過頭來關照自己，不要將自己逼得太緊。

例如我如果連續幾天都在為重要工作關在書房裡，麻理惠就會端茶和甜點進來，問我：「要喝杯茶嗎？」提醒我該休息了。

我很感謝生命中能擁有這麼重要的夥伴，讓我能穩健地前進，希望你們也能找到一起成長的重要夥伴。

持續成長的祕訣

1. 重視睡眠，用舒適的寢具，穿上睡衣睡覺。
2. 早睡早起，幸運的話還能獲得太陽的祝福。
3. 一天只留下五件重要的工作。
4. 在早餐前完成最重要的工作。
5. 為自己或伴侶留下散步的時間。
6. 給自己午睡的時間，十分鐘也好。
7. 對不熟的人客氣是禮貌，對熟人有禮是珍惜。
8. 主動打電話給你珍惜的人。
9. 睡前伸展也是關照自己的儀式。
10. 珍惜那個幫助你成為自己的人。

結語

謝謝那個不願意忍耐的自己

當你翻到這一頁時，感覺如何？

我希望當你開始閱讀這本書和現在當你讀完這本書時，你看到的世界會發生一點點變化。根據我迄今為止的經歷，我寫下了我想與你分享的經驗，希望也能對你產生影響。

如果你能挑選任何一個方式嘗試看看，你的生活肯定會改變，重點是要有所行動。

如果你通過這本書產生了一些不同以往的感受，請保持這種熱情並從可能很小、簡單的事情開始。當你開始行動時，生活肯定會往好的方向前進，也記得表揚做出改變的自己。

希望這本書成為你找到自我的起點，因為完成這本書也是我重新找回自己的里程碑。

遵循別人的方法，找不到自己的出路

我一直都是很平凡的人，跟隨著長輩的期許到都市發展，尋找成功的機會，在東京努力生活。是認識麻理惠之後，我才終於成為我自己。

我剛畢業時進入的人力資源管理公司擔任事業開發業務。這是壓力很大的環境，當時我雖然是新人，但我被要求一天要開發兩百個業務。我其實不知道要怎麼做，因此就逼自己努力去做，結果當然不斷失敗，每天都在打電話和被拒絕後來甚至害怕去上班。

一直到某次人事異動，新來的一位女性主管救了我。那位女性主管告訴我：「如果別人的方法你做不來，你應該找自己適合的方法，用自己的方式培養客戶。」就這樣一句話，我的工作獲得截然不同的結果。我想，我喜歡交朋友，於是開始積極參加公司外的社交聚會，從那裡開發自己的客戶，因此慢慢累積自己的客戶名單。

幾年後，大阪分公司的老闆希望我擔任講師，為客戶傳授關於陌生開發的訣竅。我欣然答應，結果那次的講座超過一百個人報名，而且幾乎都是中小企業的老闆。

講座結束後的反應很好，許多老闆私下與我交換聯絡方式，也會問我問題。有些人採用我的方法後，回過頭來告訴我：「謝謝你的分享，我們的業績提升了不少，員工的壓力也減輕許多。」後來我就成為公司的講師。

一年多後，我開始和麻理惠交往，那時候他已經是日本暢銷書作家，我自願為她分擔一些業務，也陪她去拜訪客戶，到客戶家整理環境。見證她對客戶施的魔法，我覺得非常感動，後來就決定離開公司，和她一起工作，然後一路一起走到了現在。

回顧過去，如果當初我忍耐了不適，繼續留在家鄉，我這輩子應該都會在瀨戶內島的一座小島上生活，也不會遇到麻理惠了。

麻理惠後來與我結婚時對我說：「我走的每一步，都是因為有你在旁邊守護，但實際上你才是最有價值的人，因為你我才能成為自己，一直走在通往理想的道路上。所以川原先生真的很有能力，你做的每件事都非常有價值，現在換你發光了。」

我真的很感動，人生能遇到這麼重要又看見我的價值的人。

而我把這本書，獻給與我一樣的人，你不見得知道自己要什麼，但你對世界還有理想，對人生還有渴望。那就順從你的感受，清理那些令你不快的人事物，好好地去探索自己真正的價值，找到能讓自己閃閃發光的舞台吧，「現在的你，就是最好的你」希望你覺得迷惘時，都能想起這句話。

自我檢核表範例

針對書中需要「寫下來」的項目，以下準備了簡單明瞭的範例，讓大家了解如何寫下來。

原則上只要寫在筆記本上就可以了。不過這裡也為大家準備了書寫範例。也可以上上川原卓巳官網（http://www.takumi-kawahara.com/beyourself_checksheet/），下載我設計的表單。

第1章 「找尋特質」

練習一　寫下你自己認為的「真實自我」

不是別人強加在你身上的「所謂做自己」，你自己認為最近「真實自我」的強項？

・善於應對、長於處理人際關係
・討厭浪費

・親切、總是面帶微笑
・很愛笑
・在年長者和高層面前也不畏縮
・生產力
・樂於助人、細心
・善於在工作和私人時間取得平衡

POINT

不害羞、不過於客氣，坦率地寫下自己認為的真實自我吧

第1章「找尋特質」

練習二　寫下自己不擅長，但想解決的事

哪些是你雖然不擅長，但想解決、克服的事呢？

・體重管理
・開創副業

・持續運動
・學習理財
・整理資料
・撰寫會議紀錄
・學習第二外語
・傾聽部下的話
・整理重點
・交涉薪酬

POINT

每個人都有不擅長的事。即使如此，你的才能很有可能潛藏在「希望克服」的事情裡上

第1章　「找尋特質」

練習三　請教對你說「你很棒」的人「自己的長處強項」「自己的真實自我」

請教對象不用多。寄以下的信給認為真實的你很棒的人。

○○先生／小姐

我現在正在實踐自我升級專案。

在這個過程中有一個課題，就是要向請教理解我的人請教您認為的「我的長處強項」「我的真實自我」。

很不好意思再次向您請教。可以麻煩您告訴我，您認為什麼是「我的長處強項」「真實的我」是什麼呢？

▼我的長處強項

・・・

▼真實的自我

・・・

我希望能參考您寶貴的意見，更精進自己。

今後也希望您持續陪我前行。

POINT

一開始一定要拿出勇氣。只要相信對方不恥下問，一定會得到回應

第1章　「找尋特質」

練習四　寫下心中所有的隔閡疙瘩

把在你腦中揮之不去的思考，特別是和人際關係有關的疙瘩全部寫下來。

- 得不到夥伴肯定
- 夥伴的習慣令你很不舒服
- 聯絡雙親的次數變少了
- 和小孩相處的時間太少
- 尚未完成小孩具體的教育計劃
- 專案的進度狀況
- 和部屬溝通不足
- 未向主管報告
- 體重增加了
- 還欠別人一個道歉

POINT

這不需要給別人看，就把所有浮現在腦海的事如實寫出來

第1章 「找尋特質」

練習五　寫下別人讓自己覺得不自在的期待

「希望你是這種人」、「希望你展露這種實力」，別人對你的什麼期待，讓你覺得不自在？

- 身為長子、長女，希望你堅強

- 希望你成為團隊的開心果，提振士氣

- 希望你更有自信地帶領團隊

- 希望你對結果有強烈的責任感

- 希望你比所有成員更認真

- 希望你不要說喪氣話

POINT

有沒有因為別人強加在你身上的「應該論」或刻板印象，讓你心情不好的經驗？

第1章　「找尋特質」

練習六　寫下度過假日的方法

假日或不受工作或學校束縛的時間，你會做些什麼？

- 用手機看漫畫
- 思考一年後的計劃
- 看YouTube影片
- 用社群軟體聯絡朋友
- 午睡
- 和小孩玩
- 整理電郵信箱
- 喝杯現磨的咖啡
- 重新檢視備忘錄中的事
- 煮咖哩

POINT

觀察自己兩週左右，一定會有意外的新發現

第1章 「找尋特質」

練習七 寫下日常生活中，不用勉強自己仍能也自然持續的事

- 每天攝取足夠的蛋白質
- 沐浴在朝陽下伸展身體
- 打掃衛浴
- 寫書籍讀後心得
- 每天在推特上發文五次以上
- 給工作夥伴善意的回饋
- 管理預算
- 學英語

POINT

客觀地觀察自己的行動，可找出你「一直持續在做的事」

第1章 「找尋特質」

練習八 擬定「不想做的事清單」

對你來說什麼是「在開始前連碰都不想碰的事」、「做了也很無聊的事」、「做了很累的事」是什麼？

・調整時程
・睡眠不足時下的工作
・檢查細節和確認作業
・看不出成效的降價溝通
・為補業績數字簽的合約
・和不合拍的人一起工作
・和必須防備小心的人一起度過的時間
・工作休息時間的八卦
・在通勤時間搭車去上班
・穿著不合身的衣服

POINT
仔細想想，在健康、人際關係、工作、金錢、生活目標五大領域都不要有所遺漏

練習九 發揮活出「真實自我」的結果會如何？寫下成功與失敗的例子，並反省分析

想幫上別人忙的結果，是成功還是失敗呢？仔細反省原因。

（例）參與成為某專案的創始成員，自己做了什麼呢？

☑專體全體
- 成功→提供許多資料，讓專案能放手衝刺無後顧之憂
- 失敗→中途時程管理變鬆散了，結果無法如期結束，又往後拖了
- 改善→要加入擅長管理時程的夥伴

☑團隊溝通
- 成功→活用 Slack 不厭其煩地多次溝通，因此得以圓滿順利工作
- 失敗→希望別人跟自己一樣勤於溝通，有些人因此覺得很有負擔
- 改善→溝通的頻率等，要配合對方的需求

☑企畫構思

- 成功→專案成立時提供許多點子，而且獲得採用
- 失敗→無。要再更廣泛地收集資訊，以便能提供更多樣化的企畫

POINT

記住自己在什麼場合聽到別人對自己說：「你真是幫了我大忙」、「希望你下次還能請你來幫忙」

第2章 「活出自我」

練習十 寫下發揮「真實自我」，對人有幫助人的工作

有什麼工作可以發揮「真實自我自我」呢 不設限於專業領域，請探索人生的各個面向，任何事都行。

☑善於與人應對、長於處理人際關係
↓客服工作、煩惱諮商、業務
☑喜歡整理
↓整理顧問
☑親切、總是面帶微笑
↓接待客戶、電話應對、服務業
☑冷靜
☑在年長者或高層面前也不畏縮
↓教育、問題排除
↓照護、交涉
☑討厭浪費
↓回收工作者、顧問
☑對於如何提高工作效率很有想法

↓組織改革顧問、職涯教練

☑樂於助人、細心可靠

↓後勤人員

☑善於在工作和私人時間取得平衡

↓人事部門、自由業

POINT

世界上一直出現新的工作型態。把眼界放寬去思考

第2章「活出自我」

練習十一 寫下發揮「真實自我」的方法

如何透過運用個人長才，展現「真實的自我」呢？

☑善於應對、長於處理人際關係

↓可以認識新的人，拓展眼界

☑喜歡整理

↓幫助他人整理環境

☑親切、總是面帶微笑

↓能營造舒服的氣氛，在團隊中幫助破冰

☑冷靜

↓遇到問題時能冷靜思考、不慌亂

☑在年長者和偉大的人面前也不畏縮

↓也能傾聽年長者等的意見

☑討厭浪費

↓可重新找到事物的價值，賦予新生

☑對於如何提高工作效率很有想法
↓可有效率地推動事物
☑樂於助人、細心可靠
↓可細心地完成工作，看到他人漏掉的細節
☑善於在工作和私人時間取得平衡
↓也能尊重別人的時間

POINT

最需要珍惜的是，學會不再為難自己

練習十二　寫下在新環境中自己對能幫上別人什麼忙？

移動到新環境後，什麼事可以讓你活得像努力做自己，幫上能對其他人的有什麼幫助忙呢？

- 負責安排旅行
- 傳遞傳遞活動影片
- 搬運、提重物
- 在活動中擔任司儀
- 擔任懇親會或活動的幹事
- 撰寫、設計企畫書
- 拍攝活動現場照片

POINT

不用一定要是大事。只要能發揮自己的能力

練習十三　寫下自己覺得理想中的環境

你希望生活周遭有想在什麼樣的人或事物的環繞下生活呢？具體寫下出自己覺得理想中的環境。

- 沒有人批評的人
- 沒有仗勢欺人的人
- 實力主義
- 可以成長
- 不用穿西裝打領帶
- 可以自己決定一天的時間分配
- 不用擠沙丁魚公電車
- 上下關係沒那麼嚴謹

POINT

在什麼樣的環境裡最能讓你展現自我？

第4章 「營造環境」

練習十四　寫下自己生活的「最低的生活要求」

寫下你自己生活最低的生活最低要求吧。

- 全家人都健康
- 家人感情好
- 只有一個房間也無妨
- 可以上網
- 可遮風避雨
- 不需要漂亮衣服西裝或旅行

POINT

只要知道「有這些就夠了」，就更容易迎向挑戰

國家圖書館出版品預行編目（CIP）資料

我要的新人生／川原卓巳著；李貞慧譯. -- 初版. -- 臺北市：天下雜誌股份有限公司，2021.12
288 面；14.8×21 公分. --（心靈成長；79）
譯自：Be Yourself - 自分らしく輝いて人生を変える教科書
ISBN 978-986-398-725-3（平裝）

1. 成功法　2. 自我實現　3. 自我肯定

177.2　　110016790

我要的新人生

Be Yourself - 自分らしく輝いて人生を変える教科書

作　　者／川原卓巳 Takumi Kawahara
譯　　者／李貞慧
封面設計／DiDi
內文排版／顏麟驊
責任編輯／賀鈺婷

天下雜誌創辦人／殷允芃
天下雜誌董事長／吳迎春
出版部總編輯／吳韻儀
出版者／天下雜誌股份有限公司
地　　址／台北市 104 南京東路二段 139 號 11 樓
讀者服務／（02）2662-0332　傳真／（02）2662-6048
天下雜誌 GROUP 網址／ http://www.cw.com.tw
劃撥帳號／ 01895001 天下雜誌股份有限公司
法律顧問／台英國際商務法律事務所・羅明通律師
印刷製版／中源造像股份有限公司
總 經 銷／大和圖書有限公司　電話／（02）8990-2588
出版日期／ 2021 年 11 月 30 日第一版第一次印行
定　　價／ 350 元

書號：BCCG0079P
ISBN：978-986-398-725-3（平裝）
直營門市書香花園　地址：台北市中山區建國北路二段 6 巷 11 號
電話／(02) 2506-1635

天下網路書店　http://shop.cwbook.com.tw
天下雜誌我讀網　http://books.cw.com.tw/
天下讀者俱樂部　Facebook http://www.facebook.com/cwbookclub